Pierre Légaré

Les Trois Premiers Coups

Pierre Légaré

Les Trois Premiers Coups

- Recherchez Légaré
- Légaré 2
- Guide de survie

Stanké

Données de catalogage avant publication (Canada)

Légaré, Pierre

   Pierre Légaré: Les trois premiers coups

   Sommaire: Recherchez Légaré – Légaré 2 – Guide de survie.

   ISBN 2-7604-0663-6

   I. Titre.

PS8573.E452P43 1999   C848'.5402   C99-940368-0
PS9573.E452P43 1999
PQ3919.2.L43P43 1999

Photos de la couverture: Erik Labbé

Conception: Les Éditions Stanké (Daniel Bertrand)

Infographie: Composition Monika, Québec

© Les Éditions internationales Alain Stanké, 1999

Dépôt légal: Bibliothèque nationale du Québec, 1999

ISBN 2-7604-0663-6

Les Éditions internationales Alain Stanké remercient le Conseil des Arts, le ministère du Patrimoine canadien et la Société de développement des entreprises culturelles pour leur soutien financier.

Les Éditions internationales Alain Stanké
615, boul. René-Lévesque, bureau 1100
Montréal H3B 1P5
Tél.: (514) 396-5151
Télécopie: (514) 396-0440

IMPRIMÉ AU QUÉBEC (CANADA)

RECHERCHEZ LÉGARÉ

Premier spectacle,
présenté de 1989 à 1992

Ce texte est la transcription d'un enregistrement effectué en 1996, lors d'une représentation faite expressément à cette fin, au Centre culturel de Châteauguay.

Bien que le mot d'accueil qui suit ait été destiné aux spectateurs présents lors de l'enregistrement, vous, lecteurs et lectrices, considérez-le donc comme une préface[1].

MOT D'ACCUEIL (et préface)[2]

(LÉGARÉ ENTRE SOUS LES APPLAUDISSEMENTS.)

On a-tu... on a tu enregistré ça, ces applaudissements-là, nous autres?
Parfait. Bon ben merci, vous avez été ben fins.
(IL S'EN VA.)

(REVENANT APRÈS QUELQUES SECONDES)
Euh, ce qu'on enregistre ce soir et vendredi soir, on fait ça deux soirs, au cas que, j'sais pas à soir, mettons, j'sais pas, vous avez un blanc de mémoire à un moment donné, ou queq'chose de même, t'sais...

---

1. Merci.
2. Merci encore.

Ce qu'on enregistre ce soir, c'est le premier show que j'me suis écrit.

Je l'ai écrit vers la fin de 1988, ça faisait à l'époque peut-être 8, 9 ou 10 ans, j'sais pas trop, que j'en écrivais pour les autres, j'en écrivais pour un paquet de gens et, dans tout ce qui m'était commandé comme matériel, c'était toujours à peu près le même genre.

C'était toujours, bon, un personnage, j'sais pas, c'était pour un paquet de monde, et à chaque fois, c'était toujours la même chose: c'était pour un personnage généralement épais.

La plupart des humoristes qui se créent un personnage vont, en général, se créer un personnage d'épais, un raté.

Ça va de Ti-Guy Beaudoin au personnage qu'Yvon Deschamps avait créé sur scène, en passant par Popa de *la Petite Vie*.

En général.

Euh, j'imagine que ça vient d'un principe qui dit que la meilleure façon de faire rire les gens, c'est d'arriver en s'affichant comme quelqu'un qui est plus mal pris qu'eux autres, plus épais qu'eux autres, plus raté dans la vie qu'eux autres, etc.

Ça fait que les gens se comparent, pis ils se consolent, t'sais.

Et ça faisait 8 ou 9 ans que j'en écrivais comme ça pour les autres, et il y a un genre d'humour qu'on ne me commandait jamais, qui est l'humour que je fais maintenant, qui est pas un humour de personnage. C'est un humour où j'essaie de rester la même personne sur la scène que je suis dans la vie, j'essaie de parler de toutes sortes d'affaires qu'on voit, qu'on vit, qui nous arrivent, etc., et sur lesquelles je me pose des questions, des choses comme ça.

Et je me souviens qu'à l'époque, j'étais allé chercher un gars qui s'appelle Gilbert Dumas, comme metteur en scène. C'est un bonhomme qui jouait dans une pièce de théâtre que j'avais aussi écrite à l'époque, qui est un très bon comédien que vous avez peut-être vu à l'occasion, entre autres à *Surprise sur Prise*. Je dirais que les meilleures cascades que *Surprise sur Prise* a faites, ils ont utilisé Gilbert Dumas pour les faire.

Et je me souviens, j'avais dit à Gilbert Dumas: «À toutes les fois, à toutes les fois où j'ai écrit un show pour quelqu'un, ça sert à rien, le premier soir ça durait toujours, bah..., 3 heures. Ça avait pas de bon sens. Et moi j'ai écrit pour la radio pendant des années, j'ai écrit pour la T.V. Moi, j'sus capable, tu me dis: «Fais-moi un 45 secondes», j'te fais un 45 secondes qui dure 45 secondes. *Watch* ben, *watch* ben mon premier show à moi: 2 heures, *watch* ben ça.»

Et on a fait ce premier show; j'pense que c'était à l'automne 88, à Saint-Jean-sur-Richelieu, j'avais loué une salle d'à peu près 150 personnes et j'ai fait 2 heures.

Et la deuxième partie, j'pense que ç'a duré 2 heures et demie.

J'sais pas, c'est la peur d'en manquer. C'est comme quand on reçoit de la visite à souper, quand on achète de la viande pour la fondue bourguignonne, c'est pareil: on a toujours peur d'en manquer, pis finalement, il en reste autant que t'en as mangé. Fait que c'est à peu près ça...

(À JEAN-PIER, LE TECHNICIEN)
Bon ben, c'est quand on veut.

(AU PUBLIC)
Je vais aller me cacher, pis euh, présentation, pis tout ça: vous m'accueillez pareil comme si on s'était jamais vus, O.K.?

(REVENANT PARCE QU'IL VIENT DE SE RAPPELER QUELQUE CHOSE)
«Recherchez Légaré», c'est pas le titre que moi j'avais trouvé. Pour mon premier show, c'est le producteur qui trouvait que c'était une bonne idée. Moi j'avais appelé ça, euh: «Spectacle numéro un», j'pense... et euh... non je voulais l'appeler: «En supplémentaire», ou t'sais, une affaire comme ça, là.
«En supplémentaire» ou «Complet ce soir».

J'ai toujours pensé que c'est un bon titre de show, ça:
«Pierre Légaré, complet ce soir». Ya!
«Pierre Légaré en supplémentaire»... Pis, c'est le premier que tu fais, t'sais...
Mais j'me suis revengé, le deuxième, je l'ai appelé:
«Légaré 2».

O.K. ben c'est quand vous voulez. C'est beau?

(IL SORT.)

PREMIÈRE PARTIE

(VOIX DE JEAN-PIER):
Mesdames et messieurs, Pierre Légaré.
(LÉGARÉ ENTRE SOUS LES APPLAUDISSEMENTS.)
C'est euh... Non, c'est bizarre, c'est bizarre parce que la dernière fois que je suis allé voir un spectacle, on était avant le spectacle, et à un moment donné, on s'est tous mis à applaudir; et quand ça s'est arrêté, on s'est aperçu qu'il s'était rien passé.

Un peu comme quand t'es dans une file d'attente, mettons, qui se met à avancer. T'avances toi aussi parce que tu penses qu'ils viennent d'ouvrir les portes, tu réalises par après qu'il s'est rien passé, t'es juste deux fois plus tassé. Ça avait été une claque comme ça.

J'entends un gars en arrière de moi qui me dit:
– *Pourquoi t'as applaudi?*
(Je me retourne, je regarde, il y avait personne là que je connaissais. Je dis: «Coudon...»)
– *Hé! C'est à toi que je parle: pourquoi t'as applaudi?*
– ... Tout le monde a applaudi.
– *Pas vrai, moi, j'ai pas applaudi. Pourquoi toi, t'as applaudi?*
– J'ai applaudi parce que j'avais hâte...
– *T'avais hâte à quoi? Tu l'as jamais vu, ce show-là, épais.*

Là, je me suis dit: «Bon, ça, c'est le genre de personne qui se sent mieux quand il se fait planter. O.K., je vais le planter. Et tant qu'à le planter, je vais le planter avec un mot.»

Parce que moi, je me suis rendu compte, dans les astinations que j'ai avec le monde, que ceux qui connaissent un mot que moi je connais pas, gagnent.

Quel que soit le sujet de l'astination, ils veulent me régler mon cas! Ils ont juste à me sortir un mot que j'ai jamais entendu et j'sus fait.
Surtout ceux qui font leurs phrases sous forme de chiasme elliptoïde.

Mon propre garagiste!
Bon, j'y ramène mon auto pour la dixième fois, mon auto marche pas mieux. Il me dit:
– *C'est ton* manifold *qui est bloqué.*
J'y dis:
– Non, vous me l'avez débloqué la semaine passée.
– *Ah ben, c'est ton* choke-kick.
– Non, j'y dis: vous venez de m'en poser un neuf!
– *Ah ben, cherche pus: c'est ton* heat-riser vacuum valve.

Il me l'a changé.

Je rentre à la quincaillerie. Bon, j'm'en vas m'acheter une boîte de vis, le commis me sort un mot que j'ai jamais entendu, je l'achète. Présentement, dans ma cave, j'ai quatre litres de *lining-degreaser*. J'ai aucune idée à quoi ça sert.

Les pires, je trouve, pour nous convaincre de ce qu'ils veulent, juste en nous alignant des mots qu'on ne connaît pas, c'est les spécialistes: les avocats, les économistes, les réparateurs-experts-spécialisés-qui-coûtent-cher, les professionnels.

Tu prends le temps d'écouter vraiment ce qu'ils viennent de te dire, pis dans le fond, ils t'ont rien dit, mais pour te dire rien, ils ont utilisé des mots que t'avais jamais entendus, ça fait qu'on les écoute, là, t'sais..

Vois-tu, moi, c'est quoi, c'est v'là un an et demi à peu près? C'est ça, un an et demi; j'avais décidé de consulter un psychologue parce que j'avais des problèmes de concentration, j'avais de la misère à...

(APRÈS QUELQUES SECONDES)
Au mois de mai, cette année, je rentre à la pépinière, je m'en vas me chercher une boîte de bégonias, une boîte de marigolds.
Je sors de là, j'ai un sac de plus dans mon paquet.
Je dis au gars:
– C'est quoi, ça?
– *Ça, il dit, c'est euh... ça va sur tes fleurs, c'est bon pour eux autres.*
– O.K., mais c'est quoi?
– *T'en as besoin.*
– Ouaille! c'correct, mais c'est... qu'est-ce que c'est, exactement?
– *C'est du Chlorydon 2-E.*

Le Chlorydon 2-E est au-dessus du *lining-degreaser* dans ma cave.

Moi, je me souviens de la première fois que je me suis fait planter par un mot: c'est en 1966, au collège de Saint-Jean-sur-Richelieu.
Assemblée générale des étudiants à l'auditorium: à un moment donné, je vois un gars qui descend l'allée pour aller poser une question, au micro qu'y ont installé en avant, là t'sais.
Je regarde comme il faut: c'était moi.

Je pose ma question, le président de l'assemblée attend que les gens aient fini de rire, il me dit:
– Non mais, avec une question comme ça, tu cherches quoi, au juste, là: notre annihilation?

«Annihilation»...

Il y a 800 étudiants dans l'auditorium et moi, les seuls mots, à l'époque, que je connais avec un «h» dedans, c'est: thermomètre, bibliothèque, pis Christ!

La fois suivante, c'est à l'université.
On n'est pas 800, on est...
(RÉFLÉCHIT POUR ESTIMER LE NOMBRE)
... 6.
Bon, on travaille en atelier, là.
Bon, O.K., O.K., là-dessus, il y a deux filles pour lesquelles j'ai le *kick*.
Bon, c'est pas des filles tellement jolies, mais je suis pris pour vivre les prochains 4 ans à 150 kilomètres de chez nous, je commence à les trouver *cute,* bon.

À un moment donné de la discussion, pour me rendre utile, j'envoye le mot «hypothalamique». Le gars qui est assis en face de moi, c'est-tu parce qu'il le prend pas, c'est-tu parce qu'il a le *kick* sur les mêmes filles que moi, il m'avertit pas, pis il me *shoote* le mot «paradigme».
J'ai changé d'option.

Là, j'ai mon taouin qui est assis derrière moi et qui veut savoir pourquoi j'ai applaudi. Je me dis: «On est toute faites pareils». J'ai juste à y sortir un mot qu'il a jamais entendu, *watch*-le ben, lui: il est fait.

– Bon écoutez, c'est vrai: bon j'ai applaudi avant le spectacle, c'est vrai. Mais ça, c'est pour la même raison qu'un chien bouge la queue: c'est une manifestation de hâte, mais c'est une manifestation de hâte subliminale, sub-li-mi-na-le.
– *Va donc chier.*

Une autre technique que j'ai découverte que le monde utilise contre moi quand ils veulent me convaincre de quelque chose, c'est la technique du pourcentage.
Saviez-vous qu'il y a 88% des gens qui vont croire n'importe

quoi que vous leur dites si vous mentionnez un pourcentage? La proportion monte à 91% si vous en sortez un deuxième, et à 96,6% si vous en sortez un troisième, mais que vous prenez le temps de mettre une virgule dedans pour faire plus vrai, là, t'sais.

Bon, ça, j'ai pas pu m'en servir contre lui parce que moi, quand tu me dis «va donc chier», ça me décourage à 99%.

Une autre technique: la technique de la source inconnue. Bon, t'es en train de discuter avec quelqu'un et, à un moment donné, tu veux appuyer ce que t'affirmes? Cite une source inconnue. Et ça marche. Je lisais un article là-dessus, récemment. Il y a une émission hier soir à la télé qui en parlait. Ils viennent de publier une étude sur le sujet: la source inconnue.

Une variante de la source inconnue: tu dis à la personne qui est en face de toi que ce dont tu discutes présentement est très à la mode dans un endroit qui est impressionnant pour elle, mais où c'est qu'est jamais allée. D'ailleurs, vous savez qu'au moment même où on se parle de ça, c'est une pratique courante à New York, hein, vous savez ça? L'autre connaît New York? Tu dis: «Los Angeles».
Y connaît Los Angeles? Tu dis: «San Francisco»: la source inconnue.

– Euh, sortez-vous un peu, des fois?
– *Un peu, oui: j'arrive de Bangkok, justement.*
– Ah bon! Il a-tu fait beau?

Une autre technique que j'ai découverte... Non, celle-là, je peux pas dire que je l'ai découverte, c'est un de mes amis qui me l'a fait observer: Jean-Pierre... euh, voyons... Jean-Pierre euh... Ça, j'haïs ça quand ça m'arrive... En tout cas: t'es en train de raconter quelque chose à quelqu'un et tu veux que ce que tu racontes ait l'air plus plausible: nomme un nom.
Carmichael! C'est ça: Jean-Pierre Carmichael!

Non, je le sais pas pourquoi, à partir du moment où tu nommes un nom, woup! la menterie a l'air vraie.

La technique du «nomme un nom».

– Bon, écoutez: c'est vrai, j'ai applaudi avant le spectacle, mais c'est pour la même raison qu'un chien bouge la queue: c'est une manifestation de hâte subliminale et ce n'est pas moi qui le dis, c'est une théorie connue.

– *Ah ouaille? Une théorie de qui?*

– Ah! on voit que vous ne connaissez pas... Freud!

– *Je connais très bien Freud: j'ai fait ma thèse de doctorat sur les théories de Freud.*

– Ah bon. Est-ce que vous connaissez... Œrlinger?

– *Qui?*

– Œrlinger, Helmut Œrlinger.

– *«Œrlinger»...?*

– Ben oui, il restait de biais avec Freud! Ben juste avant qu'il déménage là, à cause... du feu qu'il y avait pris chez eux, là...

– *Woyons, il y a jamais eu de feu chez Freud!*

– Mais non! Le feu était chez Œrlinger!

– *«Œrlinger»...*

– Helmut F.W. Œrlinger, la théorie est de lui.

– *Œrlinger... Œrlinger... Qu'est-ce qu'il fait, dans la vie, lui?*

– Il est mort.

– *Ouaille! mais avant de mourir, j'te parle: qu'est-ce qu'il faisait dans la vie, avant de mourir, Œrlinger?*

– Avant de mourir, Helmut F.W. Œrlinger faisait des théories sur l'applaudissement, et c'est lui qui a énoncé la théorie qui dit qu'avant un spectacle, l'homme applaudit et le chien bouge la queue. Excepté dans les spectacles de strip-tease, où c'est le contraire.

– *Ben coudon, c'pas un problème, ça: sors-moi le titre du livre où il a consigné sa théorie, je vais aller l'acheter tu-suite.*

– Le livre était chez lui quand le feu a pris.

– Ah ben, comment t'as fait pour l'avoir, toi d'abord?
– Mon arrière-grand-père était pompier, moi!
Eh oui, mon arrière-grand-père, Jean-Pierre Carmichael..., était pompier, et c'est comme ça que j'me suis trouvé à mettre la main sur l'unique exemplaire du document où Helmut F.W. Œrlinger a consigné sa théorie qui dit qu'avant un spect...
– Hey!
– Oui?
– Pourquoi t'as applaudi?
– Je le sais pas, mais là, je le regrette.

Je sais pas, vraiment pas, je sais pas pourquoi j'avais applaudi avant le spectacle. Non mais, t'sais, quand on va voir un spectacle, pourquoi des fois on applaudit avant, comme ça, t'sais? Pourquoi... qu'on paye avant?
Non, c'est vrai.

C'est quand même rare qu'on fait ça dans la vie, j'veux dire: «payer avant», mais quand on va voir un spectacle, on paye avant.
Y a les bordels qui marchent de même aussi, et le poulet frit à la Kentucky, mais ça, j'y vais pas.

(IL POURSUIT, PENDANT QU'ON ENTEND DES PARA-SITES DANS LE SYSTÈME DE SON.)
Les salles de spectacles, les bordels, le Kentucky...

– Euh, Jean-Pier, qu'est-ce qui arrive avec le son, là?
– Écoute, Pierre, c'est parce qu'y a beaucoup de transients dans la salle et on travaille avec un micro de type hypercardioïde.
– O.K., je le demanderai plus.

(RETOURNANT À SON PROPOS)
Je me souviens, c'était un jeudi soir, je venais juste d'entrer dans le stationnement avec ma femme...
– Tiens regarde: t'as une place de libre là, juste en face de l'épicerie. L'épicerie... Pourquoi qu'on paie pas avant, quand on

va à l'épicerie? Non, attends: ça se demande! Ça serait peut-être plus simple...
Combien t'as figuré pour l'épicerie, cette semaine?
Donne-moi le 160 piastres.
As-tu la liste d'épicerie avec toi? Viens avec moi: y a quelque chose que je veux essayer.

J'entre dans l'épicerie, ma femme me dit:
– *Moi, je pense j'vas aller t'attendre dans l'auto...*

Je laisse mon 160 piastres à la fille des bouteilles retournables, quand tu rentres, je me prends un panier, j'enfile dans la première allée...

La détente mentale que ça procure! Ç'a pas de bon sens.
«Des crevettes, format géant.»
Bon, sont combien, les crevettes format géant?
«Sont combien»: sont déjà payées!

Mon affaire allait tu-seule. Je pense que j'étais rendu dans le bœuf haché mi-maigre quand la fille des bouteilles retournables m'a fait arrêter par la police.
J'ai essayé de raisonner la police:

– Non, écoutez, je sais très bien ce que vous pensez, mais là j'essaye juste de voir si on pourrait pas payer avant, ailleurs que quand on va voir un spectacle.

Il me met les menottes.

– Non, j'ai dit: écoute, est-ce que vous le savez, vous, pourquoi on paye avant?
– *Non.*
– Et vous vous êtes jamais demandé pourquoi?
– *Non.*
– Ben oui, mais quand on va voir un spectacle, pourquoi on paye avant?

– Écoute, inquiète-toi plus avec ça, O.K.? Avec nous autres, tu vas payer après.

On paye avant pour la même raison qu'on applaudit avant: la hâte.

Non, ça peut pas être «la hâte de ce qu'on va avoir» qui fait qu'on paye avant, la preuve: le poulet frit à la Kentucky.

On paye avant...

Quand on va voir un spectacle, on paye avant...

On paye avant... parce qu'on s'attend qu'il faut payer avant, tout simplement.

Depuis que les spectacles existent qu'y font payer le monde avant. Tout le monde qu'on connaît qui a déjà été voir un spectacle a toujours payé avant. On s'attend, quand vient le temps d'aller voir un spectacle, qu'il nous faut payer avant et on se pose pus de question et on paye avant.

C'est juste pour ça.

On est comme ça, nous autres, les humains: on s'attend à des affaires, et c'est pour ça qu'on agit comme on agit.

Moi, je me plante un jardin à chaque année, parce que je m'attends qu'on va avoir un été.

Je vais voir un spectacle, je vois l'artiste s'asseoir derrière son piano, je m'attends à ce qu'il joue du piano.

Je roule sur l'autoroute des Laurentides. Quand j'arrive vis-à-vis les anciens postes de péage, j'm'attends que la cloche va encore sonner quand je passe.

Quand j'entre au cinéma, je m'attends que le gars va déchirer mon billet, et lui, il s'attend que je vais résister pendant qu'il va *twister,* et que c'est comme ça que le billet va se déchirer.

La dernière fois que je suis allé au cinéma, je me suis dit: je vais vérifier, je vais *twister* dans le même sens que lui.

(MIMANT LA SITUATION)

Ben, ben... ben woyons...

J'avais raison!
Le gérant du cinéma a jamais voulu l'admettre, mais la police me l'a dit!

Les grosses compagnies le savent qu'on s'attend à des affaires. Même que je me demande des fois si c'est pas à cause d'eux autres que moi, je suis rendu que je m'attends à certaines affaires.

Moi, je suis rendu que je m'attends que la propreté va sentir le citron. Les compagnies qui nous vendent du savon à vaisselle nous vendent en même temps l'idée que de la vaisselle propre, ça sent le citron.
Des vitres propres, un plancher propre, une maison propre: ça sent le citron.
J'époussette mes meubles; je recommence tant qu'ils sentent pas le citron, sans ça, ils doivent être mal époussetés.
Moi, si je gagne à la 6/49, je vais sortir le *Pledge* à la rhubarbe.

Les grosses compagnies nous ont rentré dans la tête que la propreté a une couleur: blanc.
J'ai une chemise bleue, mais pour la laver, j'achète du détersif qui lave plus blanc.
La couleur du détersif, faut que ce soit blanc.
Bon! Ils tolèrent aussi le bleu pâle, pis le vert pâle, si y a des cristaux javellisants dedans, mais la couleur universellement reconnue à laquelle on associe tous l'idée de propreté, c'est:
(LE PUBLIC RÉPOND:)
– Blanc.

Moi, une affaire que j'essaye souvent chez nous...
On l'essaye-tu toute?
O.K., on l'essaye, on l'essaye, tout le monde.
On essaye, tout le monde, de penser à du *Tide*... brun.
Concentrez-vous, laissez-vous pas déranger par ceux qui rient.
Concentrez-vous, concentrez-vous, tout le monde, O.K.?

Bon, là, on ouvre le coin de la boîte de *Tide* en appuyant le long du pointillé...

On retrousse le p'tit coin qu'on vient de déchirer, on regarde ce qu'ils ont mis dans la boîte, et désormais, ce qu'il y a dans ce boîte-là est... brun.

On en met dans une tasse à mesurer...
Là, on ouvre le couvercle de la laveuse, et là, on commence à saupoudrer le *Tide* sur notre linge...
Et ce qui tombe sur notre linge est désormais...
Non, j'aurais pas dû prendre brun.

Fuscia! Non: jaune moutarde! Noir!

On n'est pas capable.

Dans ma bouche.
Dans ma bouche, la propreté sent pas le citron. Dans ma bouche, ça sent la menthe. Tout ce que je me mets dans la bouche, ma pâte dentifrice, ma gomme, mes *Tic-Tac,* mon rince-bouche, ça goûte toute la menthe.
Là, j'en n'ai pas apporté, mais chez nous, j'ai commencé à me faire du *Listerine* à la *Root Beer.*

Les noms de produits, les marques de commerce, il faut que ça soit des noms auxquels on s'attend, sans ça, on n'achète pas.
«Chez Ti-Gilles, dépanneur»: bon, on est prêts à y aller, O.K.
«Chez Ti-Gilles, gynécologue»...

Le parfum «*Masquerade, de Impulse*»: j'vas te dire, on est prêt à s'en mettre.
Le parfum «*Mastercraft, de Canadian Tire*»: on hésite.

Le Chlorydon 2-E, on est prêt à en acheter, de ça, faut mettre ça sur nos fleurs, c'est bon pour eux autres!
Ça existe pas.
Non, ça existe pas.

C'est parce que tantôt, quand j'essayais de me rappeler du nom du produit que le gars de la pépinière m'avait donné, bon je me rappelais pas du nom, je me suis dit: bon O.K., ça me prend de quoi de chimique, vite!

«Chlorydon».

2-E, c'était pour que ça ait l'air fort.

On s'attend à ça.

Les compagnies qui prennent des noms de personne, prennent pas n'importe quel nom: «*Vidal Sassoon, Ralph Lauren, Sergio Valente...*

Valente...»

(SE CARESSANT LA CUISSE)

Sergio Valente: ça moule une fesse.

(TENTANT LA MÊME CHOSE)

«*Sergio... Gariépy, Garié... Gariépy... Gar-Yippee!*»

«*Sergio Gariépy*», ça moule rien.

Dans les quiz, à la télévision, moi je suis rendu que je m'attends à des points. Le concurrent qui répond comme il faut à 5-6 questions, a jamais 5-6 points. Il a 1350 points!

À la fin de l'émission, s'il a accumulé 5000 points, il gagne une affaire d'à peu près 3 piastres.

Il le sait, je le sais, moi aussi, mais il continue à jouer, pis je continue à prendre pour lui: ils arrêtent pas d'y donner des points!

Au mois d'août, l'année passée, j't'allé leur proposer un quiz où le gars qui score un point gagne 5000 piastres. Ils m'ont dit: «Woyons donc, c'pas un quiz, ça!»

Ils ont raison, c'est une partie de hockey.

On s'attend à des affaires, et c'est très fort comme phénomène.

C'en est même au point où y a des gens qui feront rien pour toi si tu leur annonces pas d'abord une nouvelle à laquelle ils s'attendent.

Bon, écoute. Moi, je viens d'un village qui est situé près de Saint-Jean-sur-Richelieu. Supposons que tu te présentes à l'urgence dans mon coin parce que tu t'es empoisonné, O.K.? Bon. Au moment où on se parle là, t'as peut-être encore, quoi, six mois, un an pour qu'ils se grouillent un peu pour s'occuper de toi, là, si tu leur dis: «J'pense que je me suis empoisonné avec du plomb de la compagnie *Balmet*.» La fumée de Saint-Amable, ça, c'est v'là 8 ans, les BPC: 10 ans. Les moules empoisonnées: 12 ans. Le thon empoisonné: 14 ans. Les *Tylénol* empoisonnés: 15 ans. Arrive pas avec ça, j'te l'dis: tu meurs.

Ben, tiens, plus récent que ça: dans le village où j'habite, on a eu un chien errant, l'hiver passé. Tu te levais tous les matins, tassais le rideau du salon, il était là.

J'ai appelé j'sais pas combien de fois au conseil de la municipalité pour leur dire: «Eille! c'est dangereux, ça; un de ces matins, c'te chien-là va mordre quelqu'un!» Non, ils ont jamais rien fait.

La semaine passée, en fait, v'là quoi: 10 jours, d'une manière, m'a vous dire, j'étais content: c'est moi que le chien a fini par mordre.

Je me suis dit: «Attends un peu, toi, là il y a quelqu'un ici qui va le savoir». J'ai appelé le *Journal de Montréal*.

Le gars à l'autre bout de la ligne me dit:

– *Est-ce que c'est vous que le chien a mordu, Monsieur?*

– Oui!

– *Bon, écoutez, euh, rappelez-nous au moment où c'est une petite fille qui se fait mordre dans le visage par le pitbull, ça va être plus facile de le passer.*

– Euh, ouaille, mais c'parce que c'était pas un pitbull.

– *Non, ben, écoutez, c'est parce que les malamuths, voyez-vous, le monde se rappelle même pus de quoi ç'a l'air, ça fait 15 ans qu'ils ont pas mordu personne. Il faudrait que vous ayez soit une caméra, soit un appareil vidéo au moment où il va mordre. Est-ce que vous avez... est-ce que vous êtes équipé avec ça, présentement?*

– Euh, c'était un colley.

– *Un quoi, vous dites euh...?*

– «Lassie»?

– *Bon, écoutez, moi ça me fait rien, mais si vous tenez à lire ça dans le journal, serait peut-être mieux de vous payer une annonce, c'est 9 piastres, restez en ligne, O.K.?*

Ç'a pas de bon sens, ça n'a aucun bon sens, mais c'est de même, t'sais.

Et c'est pas juste de leur faute.

Non, c'est vrai que c'est eux autres qui nous mettent des p'tites filles qui se sont fait défigurer par un pitbull s'a page couverture de leurs journaux. Mais c'est vrai, par exemple, que c'est nous autres qui achetons plusse de journaux quand c'est ça qu'eux autres ont mis s'a page couverture.

On est de même.

Pas parce qu'on est sadique, pas parce qu'on est épais, simplement que... on réfléchit pus, t'sais, on se pose plus de questions, on...

Y en a-tu qui mettent des gants dans un coffre à gants?

Sur la nourriture pour chats, quand c'est écrit «saveur améliorée», qui c'est qui y a goûté?

Dans les journaux, les demandes au Sacré-Cœur avec promesse de publier si on est exaucé: qu'est-ce qui arrive si on publie pas? On a-tu la preuve que le Sacré-Cœur lit tous les journaux tous les matins? Il s'est-tu déjà revengé contre quelqu'un qui avait pas publié?

Walt Disney, le créateur de Disneyland, Disneyworld, il s'est fait congeler à sa mort, il y a 30 ans. Est-ce que depuis 30 ans, il y a une personne qui est allée changer la boîte de «p'tite vache» là-dedans?

C'est supposé qu'à la surface de la terre, les continents dérivent constamment. Nous autres, ici en Amérique, soit qu'on se rapproche de l'Europe, soit qu'on se rapproche de l'Asie. Comment ça se fait que le prix de l'avion augmente des deux bords?

Les médecins qui font les annonces de couches à la télévision, c'est supposé être des spécialistes, ça, des pédiatres. Comment ça se fait qu'ils disent rien quand ils voient que le pipi du p'tit bébé, il est bleu?

Supposons qu'on réussisse, qu'on invente un produit capable de dissoudre le plomb, le mercure, les BPC, les dioxines, les furanes, les chlorofluorocarbures qui sont en train de détruire la couche d'ozone. Ce produit-là peut dissoudre n'importe quoi. Dans quoi qu'on va le mettre, lui?

J'ai, euh... j'ai des attributs sexuels.
Un attribut sexuel, c'est une caractéristique qui nous distingue de l'autre sexe. Les seins de ma femme sont un attribut sexuel. Les miens aussi: ils sont pas pareils que les siens. Pas les fesses: ça, les fesses, on en a tous les deux, c'est pareil.

Bon, selon la Charte des droits et libertés, c'est supposé d'être égal pour tout le monde. Comment se fait-il qu'il existe pas juste une sorte de costume de bain, un costume de bain universel, qui cache les attributs sexuels de tout le monde, homme et femme: une bavette qui descend jusqu'au milieu des cuisses?
Bon, jusqu'aux genoux pour les gars qui aiment se vanter. Logiquement?
Tu vois-tu, moi, euh, c'est l'été passé, ça? c'est ça: c'était le 23 juin, la veille de la Saint-Jean-Baptiste. Bon, j'ai fait mon gazon arrangé de même.
Ben, en fait, j'ai fait deux laizes.
Ça s'écrit: l-a-i-z-e.
La police m'a dit:
– *Ben oui, je le sais comment ça s'écrit, là, mais moi, dans mon rapport, j'ai écrit «deux rangées». Là, je peux pas le corriger: j'ai trois carbones d'épais, va m'attendre dans l'auto-patrouille.*

Il s'était stationné au soleil, le siège était chaud.

Même l'Église me laisse avec des questions. Moi, quand j'étais petit, je servais la messe. Ça payait rien que 5 cennes par matin, mais le curé passait son temps à dire:
– *Inquiétez-vous pas avec ça, les p'tits gars, là: ça vous donne toute des indulgences, ça.*
Bon, les indulgences, ça, c'est du temps de moins que t'es supposé de passer au purgatoire. Y a plus personne qui parle du purgatoire: c'est-tu fermé?
Y a plus personne qui parle des indulgences: y a-tu eu épuisement des stocks?
Qu'est-ce qui arrive avec mes indulgences? J'en avais, moi! On va-tu recevoir un crédit? Les témoins de Jéhovah les prennent-tu?

J't'en train d'avoir un flash de film.
Non, j't'en train d'avoir un flash de film.
C'est bizarre, d'habitude, j'ai ça quand je reviens d'être allé voir un film. Là, j'm'en reviens dans mon auto...
Ça doit être à cause des projecteurs, c'est ça.

O.K. Flash de film, attention!

Grande ville nord-américaine, 11 heures du matin, le héros principal se dirige vers le cœur de la grande ville nord-américaine en roulant à vive allure sur cette légende asphaltée qu'est Sunset Boulevard.
Ça commence ben, hein?
O.K., le héros principal conduit une voiture décapotable, rouge, voiture sport; il dépasse tout le monde et la musique qu'on entend au début du film, c'est la musique qui joue dans sa radio.
Zoom in sur le héros principal. M'a te dire: le héros principal est beau, il est blond, il a les yeux bleus, il est grillé, il a la bouche pleine de dents.
Zoom back, traveling-camera de droite-cadre à gauche-cadre: les rayons du soleil se reflétant sur les eaux calmes de la baie; là, la camera va passer devant le soleil, on va voir une demi-

douzaine de p'tits soleils en forme d'hexagone dans la lentille, O.K.? Tiens, c'est fini.

Les rayons du soleil se reflètent maintenant sur les hautes tours à bureaux qui longent Sunset Boulevard.

Mais qu'est donc venu faire le héros principal aujourd'hui au cœur de la grande ville nord-américaine? Retour sur le héros principal. *Zoom in* sur le héros principal... Bon, Zoo... *Zoom in*...
(IL LE CHERCHE.)
Bon, il a dû revirer quelque part sans que je m'en aperçoive.

Quand mon chien m'apporte mes pantoufles, il pense-tu que je sens ça à la grandeur?

Les sourds-muets, quand ils veulent se dire des secrets, ils mettent-tu des mitaines?

Les tournevis, les tournevis pour les vis plus petites, pourquoi que la poignée est plus petite?

Quelqu'un qui a une jambe plus courte que l'autre, pourquoi on dit jamais: il a une jambe plus longue que l'autre?

Quand je suis devant un miroir, ma gauche est à droite, ma droite est à gauche. Pourquoi que ma tête est pas en bas?

Juste avant de mourir, toute le film de notre vie défile devant nos yeux; les aveugles, c'est-tu la bande sonore?

Demain, c'est la fête de mon chat. Je peux-tu inviter d'autres chats?

Les petits hommes verts qui viennent des autres planètes, ça se peut-tu qu'en réalité ils viennent d'une planète où ce que les p'tits hommes sont bleus, mais ceux qui viennent nous voir, ça se trouve à être leurs Chinois à eux autres?

À San Francisco, pendant le dernier tremblement de terre, ceux qui avaient le Parkinson, ils ont-tu pensé qu'ils étaient guéris?

Comment tu fais pour faire un don anonyme par chèque?

La peur des piqûres, est-ce que ça peut se guérir, ça, par l'acupuncture?

Mettons, mettons que je dise au chauffeur de taxi de reculer jusqu'à la place où ce qu'on s'en va. Quand on arrive, c'est-tu lui qui me doit de l'argent?

(S'ARRÊTANT ALORS QU'IL MARCHAIT DE LONG EN LARGE ET GARDANT UNE SEMELLE SOULEVÉE.) Peut-être que, dans une des poussières qu'il y a en dessous mon pied, peut-être qu'il y a un univers complet, avec des constellations, des galaxies, des systèmes solaires, des planètes... Peut-être que sur l'une de ces planètes-là, il y a du monde. Peut-être qu'il y a un gars pareil comme moi qui, présentement, tient son pied soulevé, lui aussi...
(REGARDANT VERS LE HAUT) Peut-être aussi que c'est le contraire.

Moi, ma tête est pas toujours avec mon corps. C'est-tu comme ça, vous autres?
Moi, on dirait que je suis jamais à la place que je me trouve. Je suis chez nous en train de dormir, mettons, là. Bon, je rêve que je suis au bureau en train de travailler.
Je suis au bureau en train de travailler, je rêve que je suis chez nous en train de dormir.
Bon, j'ai jamais eu de problème grave à cause de ça, parce que, bon, quand je suis au bureau et que je rêve que je suis chez nous en train de dormir, je me trouve à rêver que je suis au bureau en train de travailler, de sorte que je travaille quand même.
Il y a une fois, une fois où j'ai eu peur: mon supérieur entre dans le bureau, se met à m'engueuler, ça finissait plus.
Je regarde comme il faut: il était même pas là.
Il était chez eux en train de rêver qu'il était au bureau en train de m'engueuler.

Quand je lave mon auto, je rêve que je fais l'amour avec ma femme. Je lui en ai parlé.

La seule affaire qu'elle m'a dit, c'est: «Toi, que je te pogne jamais à laver le char d'un autre!»

Un soir, on était en train de faire l'amour et, à un moment donné, je me suis rendu compte que j'étais en train de frotter mon parechocs avec une laine d'acier.
J'ai vérifié pour voir si elle s'en était rendu compte: j'étais correct, elle était en train de choisir de la tapisserie pour le mur du salon.

L'affaire qui est mêlante, c'est pas de penser à une autre chose quand t'es en train de faire une affaire, c'est de penser à deux autres choses quand t'es en train de faire deux affaires.
Comme bon, je l'sais pas: mettons, je suis en train d'essuyer la vaisselle en regardant les nouvelles parce que j'aide ma fille aînée avec ses devoirs de géométrie.
Et là, en même temps, je pense que, bon, à l'âge qu'elle est rendue, elle pourrait commencer à accomplir des p'tites tâches un petit peu à la maison, nous rendre service, faire sa part, t'sais, je l'sais pas, laver mon char, tiens.
Mais tu vois, suite à la conversation que j'ai eu sur le lavage de char avec ma femme, j'ose pas demander à ma fille de laver mon char parce que je sais pas ce que ma femme va imaginer.

Un mouton qui s'endort pas, il compte-tu des humains?

Quand que je passe un rayon X, ça a-tu l'air niaiseux si je souris?

Quand t'es dans le désert, un mirage, ça ressemble à un lac.
Quand t'es sur l'océan, un mirage ça ressemble à une île. Dans un camp de nudistes, ça ressemble-tu à des shorts?

Le temps est élastique, est-ce que vous sentez ça, vous autres, des fois?
Le temps est élastique.
Supposons que j't'en train de faire quelque chose que j'aime et que je pense juste à ce que je suis en train de faire. On dirait que

l'élastique du temps s'étire, et là, j'ai du temps. Quand c'est le contraire, ben tu vois, là c'est le contraire, t'sais.

C'est comme l'automne passé. Je me souviens, j'ai recommencé à regarder *Bleu Nuit* à *Quatre-Saisons*. Là, j'avais tellement tout le temps hâte d'être revenu au samedi soir d'après, je pense que j'ai eu l'élastique bandé de la fête du Travail jusqu'au jour de l'An.

Je le sais pus qu'ossé qui arrive: plus j'achète des micro-ondes, des ordinateurs, des téléphones cellulaires, des lave-vaisselle pour sauver du temps, plus c'est le temps qui a l'air de se sauver de moi.

V'là pas longtemps, ma femme m'a dit:
– Pierre, Pierre, il faut que t'apprennes à te ménager du temps. Pour nous autres, là, pour nos loisirs!
T'en rappelles-tu, Pierre, quand on était petits, ils nous parlaient de ça: «La civilisation des loisirs». On est dedans là, on est dedans, mais nous autres, on est en train de passer à côté parce qu'on sait pas, parce que tu ne sais pas te ménager du temps.

J'ai pensé que ma femme avait raison.
À nous deux, je nous ai trouvé 13 loisirs.
Avec ceux des enfants, on est rendus à 41.
On n'a pas plus de temps: on le passe dans le char pour se rendre à nos loisirs.
Ça salit un char, ça!
Pas grave, je le relave.

J'ai rappelé mon psychologue.
Je lui ai expliqué que j'étais désynchronisé, que j'avais de la misère à me situer dans le temps, à évaluer le temps.
Il m'a demandé: «Depuis quand?»

Là, je me suis dit: «Bon, O.K., la seule, la seule personne qui puisse faire quelque chose pour moi, c'est moi. Par où je commence?»

Première chose que j'ai décidé, j'ai dit: «Tiens j'vas m'acheter une nouvelle montre.»
Parce que celle que j'avais avant prenait tout le temps de l'avance, fait que j'avais jamais la bonne heure. Fait que là, j'me suis acheté une nouvelle montre, mais en attendant d'avoir la nouvelle montre, j'ai continué à porter la vieille montre, mais j'ai enlevé la pile de dedans, pour l'arrêter.
Non mais, je me suis dit:
«De ce manière-là, au moins, elle va indiquer la bonne heure deux fois par jour, t'sais.»
Et là, tu vois, j'ai ma nouvelle montre, là, mais tu vois, je suis encore désynchronisé. Parce que, là, ce que j't'en train de vous dire là, normalement, j'aurais dû vous dire ça y a 4 minutes et 12 secondes.
Bon, euh, O.K., c'est pas grave, je sais ce qu'on va faire: on va s'arranger pour que ça fasse un chiffre rond.

Ça devrait pas être tellement long...
(IL REGARDE DÉFILER LE TEMPS À SA MONTRE.)
On est-tu bien, quand on pense à rien par exemple, hein?
(SON ATTENTION QUITTE SA MONTRE POUR S'ATTAR-DER PLUTÔT À SA MAIN.)
Le dessus d'un *Big Mac,* ça tient tout seul, c'est toujours le dessous qui coule. Pourquoi qu'on a quatre doigts pour tenir le dessus, juste un pouce pour tenir le dessous?

DEUXIÈME PARTIE

Une autre question que je me pose, moi, c'est mes enfants.
J'ai 3 enfants.
Y a des matins, je me lève, pis c'est à ça que je pense en me levant: j'ai 3 enfants, j'ai-tu ben fait?

Mes parents à moi ont pas eu à se poser cette question-là. Dans leur tête à eux autres, ils avaient bien fait, c'était évident...
Non, j'étais facile à élever, moi.
J'avais besoin de rien pour m'occuper: j'avais un bois où on se faisait des cabanes; quand on était tannés de se faire des cabanes, on attachait le gros Lemaire après un arbre, ça faisait peur à sa mère.
J'avais un ruisseau pour fumer des quenouilles,
un chemin de fer pour aplatir des cennes,
pis j'avais la rue.
Moi, dans la rue où je restais, il y avait mon père, monsieur Trinque, pis Trudeau, le laitier, qui avaient un char.
À huit heures moins vingt, c'était tout parti, ce monde-là, on avait la rue à nous autres pour le restant de la journée, on jouait dans la rue. On jouait au moineau, à la *scrub,* à la *tag* malade: on avait la rue à nous autres.

L'hiver, on se faisait des forts. Là, c'était automatique, y a Jean-Pierre Carmichael qui pétait les lunettes à ma sœur avec une balle de neige, là on se sauvait toute glisser.
On avait une côte avec deux *jumps,* on pouvait passer nos

journées à glisser. Faut dire que dans ce temps-là, les côtes étaient plus longues que les traîne sauvage.

Et quand on avait fini de glisser, on avait encore la rue: on patinait dans la rue. J'sais pas si, dans ce temps-là, le monde avait moins peur pour ses artères, mais le sel, tu mettais ça sur les patates, pas sur l'asphalte.
Qu'est-ce que tu veux de plus?

Mes enfants à moi, ils ont une armoire pleine de bébelles conçues pour développer la coordination visuo-motrice, la pensée logique et un imaginaire ne favorisant pas la violence.
Et c'est quand je leur en achète que je me dis: j'ai-tu ben faite?
Je dois avoir bien fait, c'est tout approuvé, ces bébelles-là: CSA, ACNOR, Santé & Bien-être Canada, ministère de l'Éducation, peinturées pour être non toxiques, pis y en a deux dans gang que, s'ils en mangent pareil, je pense qu'ils goûtent la cerise sauvage et y préviennent la carie.

Les caries... Me semble que quand j'étais jeune, les enfants étaient garantis plus longtemps.

Dans des conditions normales de l'usage de l'enfant, tu pouvais pogner quoi, deux troubles sur ton jeune: la rougeole pis la picotte. Pis je sais pas si c'est parce qu'on était bien élevés, mais il me semble qu'on s'arrangeait pour tout pogner ça en même temps, ça donnait moins de troubles à nos parents.

Mes enfants à moi, ils ont eu des otites, un enfant à la fois, une oreille à la fois, et c'est chez le pédiatre à chaque fois. T'es ramènes de chez le pédiatre? Éteins pas le moteur, il faut que tu retournes tu-suite: là, ils ont un virus.
C'est quoi le virus? Je l'sais pas. Ma femme le sait pas, le pédiatre le sait pas.
Ma mère le sait.
– Ah oui, m'man, c'est quoi?

– *Ça, mon Pierrot, c'est dans l'air.*
– Merci, m'man. Attends que je te rappelle, O.K.?

Moi, quand j'étais petit, la voisine appelait ma mère, pis là, elle lui demandait:
– T'as-tu reçu le catalogue de *Simpson*?
Ma mère disait:
– Non.
La voisine disait:
– Ah, ça devrait pas retarder parce que moi, je l'ai reçu aujourd'hui.

La voisine appelle ma femme, elle lui parle pus pantoute du catalogue de *Simpson*, elle lui demande si on en a un qui fait 104 de fièvre, pis qui vomit à chaque fois qu'il tousse.
Ma femme dit:
– Non.
La voisine dit:
– Ben ça devrait pas retarder, ma plus vieille l'a eu, ma deuxième l'a, pis ma troisième file pas.

Moi, quand j'étais petit, je passais des veillées. J'sus couché dans la chambre avec mes deux frères, et là on discute, tout bas, de la manière qu'on va demander à nos parents si on pourrait pas leur demander un jeu de *Meccano* pour les trois, cette année.
Je l'sais pas si mes enfants à moi discutent le soir. Je sais que moi, je discute encore tous les soirs avec ma femme.

Là, depuis deux semaines, on discute de la manière qu'on va demander à nos enfants si on pourrait pas leur demander de serrer leurs pantoufles eux autres mêmes à l'âge qu'ils sont rendus, une fois, cette année.

Moi, quand j'étais petit, mon bicycle était grand, mes souliers c'était pareil; je grandissais, ça finissait par me faire, j'suis pas mort. Mes enfants à moi changent de bicycle aussi souvent qu'ils

39

changent de souliers, pis une paire de souliers me coûte exactement le même prix qu'un bicycle: 125 piastres.

Ces enfants-là sont exigeants, ça n'a aucun bon sens.

Là, j'me dis: O.K., c'est nous autres qui les élèvent, ça doit être nous autres qui les a rendus exigeants de même: on a-tu ben fait? Oui.

Oui, on a ben fait: le monde est rendu exigeant. Il faut qu'ils soient exigeants, ces enfants-là, si on veut qu'ils «fittent» dans c'te monde-là.

La vie a changé, la société est devenue plus complexe.

C'est pas une affaire qu'on a découvert tout seuls, c'est nos enfants, nos enfants exigeants, qui nous l'ont fait réaliser.

Moi, j'ai commencé à comprendre ça un soir, ma deuxième pouvait avoir 5 ans, elle était en maternelle.

Elle avait mis son pyjama, elle était prête à aller se coucher, et là, c'était «l'heure de l'histoire».

Bon, tu vois-tu, ça c'est une autre affaire qui a changé.

Moi, quand j'étais petit, «l'heure de l'histoire» c'était: «Dormez, sans ça j'y vas!»

Mais moi, j'ai été pogné pour regarder *Passe-Partout* pendant 12 ans; ça fait que mes enfants à moi ont droit à l'heure de l'histoire.

De toute façon, on est aussi ben de leur raconter une histoire, on s'est aperçu qu'entre le moment où tu leur dis: «Va te coucher» et le moment où ils se couchent, il se passe une heure, que tu fasses n'importe quoi.

Ça fait que là, on est rendu qu'on leur raconte une histoire: eux autres, ça les occupe, nous autres, ça nous endort.

Ce soir-là, j'avais choisi de lire à ma fille l'histoire du Petit Chaperon rouge.

(LISANT)

«...*imprimée avec une encre non toxique. Histoire non recom-*

mandée, à cause de l'image péjorative qu'elle présente du loup, ce prédateur essentiel dans notre écosystème faunique. Tolérée à la condition que l'enfant soit accompagné d'un adulte averti.» Sacrament...

(LISANT À SA FILLE)
Il était une fois une petite fille qui s'appelait le Petit Chaperon rouge.

Là j'attends. J'attends, parce que c'est la place où on arrêtait notre mère pour lui demander comment une enfant pouvait s'appeler le Petit Chaperon rouge. Ma fille demande pas ça: dans sa classe cette année, il y a un Kristofer, une Capucine et un Chisung Wong Tao.

Le Petit Chaperon rouge vivait avec sa maman dans une jolie maison à l'orée d'un bois.

Là, j'arrête parce que c'est la place où on arrêtait notre mère pour lui demander ce que ça veut dire, «l'orée» d'un bois. Pas ma fille: ma fille me demande si la mère du Petit Chaperon rouge était tu-seule pour élever sa fille parce qu'elle était divorcée ou en simple séparation de corps.

Bon.
Sais-tu quoi, ma puce? À soir, papa il a de la misère à te lire ton histoire; à soir, papa il manque de lumière. Ça fait que sais-tu ce qu'on va faire? Regarde ben ça. Toi, tu vas faire un beau dodo et demain...
Hein?
T'es juste un peu fatiguée?
Qu'est-ce qu'y a encore?
Bon, c'est correct.
Hein?
Non, c'est correct: papa aussi, il est juste un peu fatigué.

(DÉFAISANT SA CEINTURE, OUVRANT SA BRAGUET-
TE, IL COMMENCE À DÉBOUTONNER ET À ENLEVER

SA CHEMISE.)
Papa t'a-tu déjà dit que t'es une petite fille pas mal exigeante, toi?

Pardon? Oh! excuse-moi, t'as raison: t'es une grande fille maintenant. Excuse-moi.

Exigeante? Exigeante, ça veut dire... gentille. Quand papa il dit que t'es sa petite fille exigeante, il veut dire que t'es sa grande fille gentille. Ben oui.

Mais là, écoute un peu, là.

(TENANT SA CHEMISE EN MAIN)

On s'en est parlé de ça, et j'ai pris le temps de t'expliquer que ça, c'est des affaires que les papas peuvent faire avec leur petite fille, mais qu'il fallait pas que t'ailles raconter à personne et t'as promis.

Ouaille! ben va pas me mettre dans le trouble, toi là, là.

(IL SE COUVRE LA TÊTE DE SA CHEMISE, POUR RESSEMBLER AU CHAPERON ROUGE.)

Ben oui, je l'sais que la chemise que je viens de me mettre sur la tête est bleue, pis est pas rouge pour faire le Petit Chaperon rouge, mais écoute, c'pas grave: une chemise bleue, une chemise rouge, de toute façon, pour les laver, tu prends du savon qui lave plus blanc. Bon, c'est pareil.

(OBLIGÉ D'IMPROVISER, IL RECOMMENCE LE RÉCIT.)

Il était une fois une petite fille qui s'appelait le Petit Chaperon rouge.

Non, excuse-moi, excuse-moi, attends un petit peu, attends un petit peu:

il était une fois une petite fille en foyer d'accueil qui s'appelait le Petit Chaperon rouge.

Elle vivait provisoirement avec sa mère naturelle, dépressive, assistée sociale...

Pardon? «Battue par son concubin?»

Battue par son concubin, dans l'attente d'une directive du Centre de services sociaux, en vue de son placement définitif dans une classe de mésadaptés socio-affectifs graves, avec déviations multiples...

Pardon? Ah, c'est là, qu'il va, Benoît? Ah bon...

...une classe de mésadaptés..., dans un joli centre spécialisé, clôturé, électrifié, qui s'appelait...

«Le village de Passe-Partout»? D'accord.

Un jour, la maman du Petit Chaperon rouge l'appela et lui dit:
– *Viens donc icitte, toé, tu vas me faire une commission.*
Le Petit Chaperon rouge semblait hésiter:
– *Va chier, j'y vas pas.*
La maman insista:
– *J'ai dit que tu y irais, p'tite vache!*
– *Toé, touche-moé, pis j'te dénonce à la Protection de la Jeunesse!*
– *Ouaille? Ben si tu fais ça, ma fille, je le dis à ton travailleur social que tu couches avec un gars de 23 ans, qui me vole mes pilules quand il vient icitte! Ça fait que figure, ma fille, pis figure vite!*

Le Petit Chaperon rouge finit par accepter:
– *M'a y aller, osti, capote pas!*

La maman prit bien soin de recommander au Petit Chaperon rouge de ne pas s'attarder en chemin, car le Petit Chaperon rouge devait aller chez sa grand-mère chercher le chèque de Bien-être social que la grand-mère avait reçu, et le rapporter à la maison avant que le gars du câble vienne débrancher la télé payante.

Aussitôt qu'elle eût quitté le 2 et demi, le Petit Chaperon rouge fit la rencontre de son méchant chum de 23 ans.

– *Quins, salut! Eille, tu viens-tu aux machines à boules avec moé, Stéphane m'a trouvé du hasch.*
– *Ah! Fuck! man, j'peux pas: il faut que j'aille chez ma grand-mère, chercher son chèque de BS, pis faut pas que je revienne trop tard, sans ça la bonne femme va encore gueuler, là...*

– Euh, s'cuse, t'as-tu dit : son chèque de BS ? Eille ! j'ai une idée : on fait-tu une gageure, moé pis toé : le premier des deux qui arrive su' ta grand-mère.

Oubliant les recommandations de sa maman, le Petit Chaperon rouge répondit :
– O.K. bonhomme, mais oublie pas : si c'est moi qui gagne, tu me dois une poffe.
– Pas de problème. Mais si c'est moé qui gagne, tu laisseras Stéphane te taponner pour à peu près 10 piastres, j'ai pas une cenne pour payer mon hasch.

Ayant convenu du pari et l'ayant scellé par un bec...

«Par un *french* ?»
Coudon, vous autres, les maternelles, prenez-vous vos récréations avec le secondaire ?
«Juste avec les Première année ?» Ah bon !

Ayant convenu du pari et l'ayant scellé par un *french,* ils se séparèrent pour se rendre chez la grand-mère.
Le chum, qui était un tricheur, vira aussitôt le coin et sauta dans le Pontiac 79, pas de *muffler,* gros *speakers* de son *pusher* pour se rendre chez la grand-mère.
Arrivé là, il sonna à la porte.
– C'est qui qui est là ? entendit-il une voix qui venait de la chambre à coucher.
– C'est le Petit Chaperon rouge qui s'en vient chercher ton chèque de BS, la grand-mère.
– Fesse s'a pognée, pis tire fort, le propriétaire est pas encore venu arranger ma porte d'aluminium.

Aussitôt entré, le méchant chum se dirigea vers la chambre à coucher de la grand-mère et sortit le couteau *Rambo* qu'il avait eu à l'âge de 16 ans, quand il était en Secondaire I.

Arrivé dans la chambre, il s'empara du chèque de BS de la grand-mère, de même que des *Vallium, Dalmane, Séconal* et

Halcion qui traînaient sur la table de chevet.
Il prit ensuite la grand-mère et il l'enferma dans la toilette,
– c'était la seule porte de la maison qui barrait.
Il prit ensuite sa place dans le lit, et il attendit.

Pendant ce temps, le Petit Chaperon rouge s'était attardé au centre d'achats, piquant une cassette de *heavy metal* chez *Music World,* un compact de maquillage chez *Jean Coutu*...

«Un tube de colle d'avion?»
Non, papa veut pas savoir où.

... de sorte que le Petit Chaperon rouge arriva chez sa grand-mère au moment où le méchant chum avait terminé les *Vallium* et sérieusement entamé les *Dalmane.*

Entrant dans la cuisine, le Petit Chaperon rouge s'écria:

– *Coudon, la grand-mère: y a-tu de quoi à manger icitte, j'ai faim, moé!*
– *Fesse s'a pognée, pis tire fort, le propriétaire est pas encore venu arranger ma porte de frigidaire!*

Lorsqu'elle eut terminé les deux beurrées de Cheez Whiz et le gros Diet Pepsi que la grand-mère avait figurés pour le souper, le Petit Chaperon rouge se dirigea vers la chambre à coucher...
– *Taboère, la grand-mère: t'as ben l'air... buzzée!*
– *C'est pour mieux te manger, mon enfant!*

Ayant dit ces mots, le chum sauta sur le Petit Chaperon rouge et commença à la manger.
Non, c'pas ça je voulais dire...

Euh, pendant ce temps... pendant ce temps, le propriétaire du bloc, qui avait décidé de poser une porte d'aluminium sur le frigidaire, entendit les cris du Petit Chaperon rouge. Se précipitant aussitôt à l'intérieur de l'appartement de la grand-mère, il mit la main au collet du méchant chum de 23 ans et il le foutut à la porte, car le méchant chum de 23 ans était son fils à lui.

S'assoyant ensuite confortablement pendant que le Petit Chaperon rouge se rhabillait, il lui demanda des nouvelles de sa maman, car la maman du Petit Chaperon rouge était également sa fille à lui.

Lorsque le Petit Chaperon rouge fut rhabillée, il lui dit:

– *Écoute un peu, chérie. Il commence à être tard, là. C'est peut-être pas très prudent pour une belle fille comme toi de s'en retourner toute seule chez elle à cette heure-ci...*

Tiens, j'ai une idée: t'as juste à descendre chez nous, je reste dans l'appartement en dessous. Tu rentres, la porte est débarrée, tu te déshabilles, tu te couches, tu m'attends.

Je devrais aller te retrouver, ça sera pas une traînerie, là.

Euh, tu dors-tu, ma soie?

C'parce que là, papa, il sait pus comment finir ton histoire...

Pardon?

Ah, O.K.! O.K.! Non, O.K.! j'suis correct là.

Mais à cet instant, la grand-mère, qui était en réalité une fée...

Pardon?

«Une bonne fée»

...sortit aussitôt de la toilette et, d'un seul coup de sa baguette magique, retourna le Petit Chaperon rouge chez elle où elle s'endormit aussitôt en faisant de beaux rêves.

Pardon?

«Car elle avait de l'école, le lendemain.»

Bon, ben, t'as de l'école demain, toi aussi; fait que fais des beaux rêves, toi aussi, et euh, pour la fin que t'as trouvée à ton histoire, merci beaucoup ma puce, merci:

papa, il pensait que ça existait pus, des fées.

Je lui ai donné son bec.

Tu donnes un bec à la petite, c'est quasiment de valeur de pas en donner un à la grande, elles couchent dans la même chambre.

Surtout que la grande, m'a te dire, ça fait pas si longtemps que ça, qu'elle était petite, elle aussi.

Mais là, c'est pas le temps de lui dire... Oh non!

Là, m'a te dire: elle est sûre qu'elle est grande là, elle.
Oh oui!

Elle est ben grande, oh oui! 13 ans, Secondaire II, commence déjà à regarder si les gars de Secondaire V la regardent. Elle lève le nez sur les gars de sa classe, elle dit qu'ils sont trop niaiseux.

Comment je fais pour expliquer à ma grande que j'aimerais mieux qu'elle commence par un niaiseux?
Comment je fais pour lui dire que j'étais niaiseux, moé?
J'étais pas niaiseux parce que j'étais épais, j'étais niaiseux parce que j'étais bien élevé. Moi, j'embrassais jamais une fille le premier soir. J'ai dû sortir juste un soir avec 18 filles d'affilée avant de me décider.

Non, moi, quand j'étais avec une fille, j'étais distingué, j'étais poli, aimable, galant, avenant, serviable, compréhensif, patient, propre: toutes les affaires que ma mère m'avait dit, là. Mes blondes m'avaient toutes oublié après une semaine, mais leurs mères se souviennent encore de moé.

J'en rencontre une des fois au centre d'achats.
– *Ah tiens, bonjour Pierre! Mon Dieu, Pierre, t'es toujours aussi distingué, poli, aimable, galant, serviable...*
– Oui, oui...
– *On est passés devant chez vous cet été, Pierre!*
– Ah... pis vous êtes pas arrêtés?
– *Non. C'était le 23 juin, veille de la Saint-Jean-Baptiste, t'étais en train de faire ton gazon...*

– Votre... euh, votre fille va bien, Madame, euh?
– *Elle va... mieux. Elle va mieux. Oui ben, elle vient juste de se divorcer, là. Ç'a été dur. C'tu drôle pareil, hein: c'te p'tite fille-là,*

elle s'est jamais rendu compte quand elle avait mis la main sur le bon gars, distingué, poli...

En tout cas, c'est un mauvais moment qui est passé, là, elle est en train de se relever, même que je dirais qu'elle est en train de redevenir la belle fille que t'as connue, là, oh oui, Monsieur! C'est-tu à toi, ces euh... ces enfants-là?

– Euh, oui, les trois, oui.

– *Ah bon! Ah! Bon, bon, bon... Je suppose que toi, t'es toujours euh... marié!*

– Euh, oui. Oui, ben justement, on attend ma femme, là: elle tient à faire l'épicerie toute seule, à c't'heure.

– *Eh bien, Pierre, comme on le dit si bien: «Ça sera peut-être pour une autre fois», n'est-ce pas? Bonjour, ça m'a fait plaisir quand même de te revoir, là. Bye Bye!*

– Oui, c'est ça.

Dites bonjour à la madame, là, vous autres: montrez que vous avez été élevés!

Vois-tu, à l'époque où je sortais avec sa f...

– ... attends un petit peu, m'a attendre qu'elle ait reviré le coin, pour pas qu'elle m'entende... – Vois-tu, à l'époque où je sortais avec sa fille, j'avais, quoi... 16 ans?

J'essayais d'être cool. J'avais une moto, je l'appelais.

Je disais:

– Eille! ça te tente-tu d'aller faire un tour de moto? C'est toi qui choisis où ce qu'on va, moi ça me dérange pas. Où c'est que t'as le goût d'aller?

La fille me dit:

– *Eille! on va-tu à Rougemont?*

– Rougemont, certain! C'est si beau, Rougemont: les montagnes, les vallées, les vergers, les pommes...

Elle avait un chum, il travaillait aux pommes.

Non, m'a te dire, aujourd'hui, je me trouve pas niaiseux de l'avoir amenée, là, mais y a des journées, je me trouve niaiseux de l'avoir ramenée.

L'été d'après, j'avais fait du progrès.
Je m'étais trouvé une autre blonde, ça avait pas pris trop de temps, m'a te dire. On s'était rendus au stade des grimaces dans la bouche sur le sofa de la cave...

Non, m'a te dire: mon affaire allait super, en tout cas, j'pense que mon affaire allait super: sa mère m'haïssait pour me tuer.

Bon, il faut dire aussi que c'était rendu plus facile. J'avais vieilli un peu, j'avais plus de maturité, plus d'expérience, j'étais rendu avec une plus grosse... moto.

Un soir, on était dans le sous-sol, chez elle, on était en train d'étudier... Qu'ossé qu'on étudiait, donc?
De l'anatomie comparée, je pense.
Sa mère l'appelle d'en haut.

A y va, moi je reste là parce que j'avais... une crampe.

Elle avait un chum.
C'était lui qui revenait de travailler aux cerises, en Ontario.

J'ai eu une conversation avec la fille pendant que le gars était allé essayer ma moto. J'entendais juste des morceaux de phrases qu'elle me disait:
– *Trop jeune pour m'attacher... J't'aime beaucoup... J'espère qu'on va rester bons amis... Tu sais, Pierre, t'es comme un frère pour moi.*
– Vous êtes intimes en verrat, ton frère pis toé...

Sais-tu quoi: c'est une affaire qui s'est simplifiée, ça, le «crousage».

C'est étonnant que ça se soit simplifié, parce que tout le reste est tellement devenu plus compliqué; mais pas le crousage.
Même que je me demande des fois si c'est pas à mon époque à

moé que c'était le plus compliqué.

Tu regardes l'histoire de l'humanité, là: dans le temps de l'homme des cavernes, c'était quoi le crousage? Un coup de masse sur la tête: «Femme faire popote pendant que homme chasse!»

Bon, ça manquait de romantisme; par contre, en 1700-1800, c'était pas ben ben compliqué, le crousage: c'était juste ça, du romantisme.

«Ô douce amie, eût-il fallu que je vous visse et que vous me plûtes!»

Entre ces deux époques-là, le crousage, cherches-en pas, y en avait pas, c'était l'époque des mariages arrangés. Et aujourd'hui, le crousage m'a vraiment pas l'air d'être très compliqué: mon gars est rendu à douze blondes, il les a toutes invitées pour sa fête: il a eu 8 ans l'été passé.

C'est à mon époque à moé, que c'était le plus compliqué.

Un soir de cette année-là, l'année de mes 17 ans, je retombe sur un numéro du *National Geographic* qui portait sur la tribu très primitive des Pokawaka.

C'est un numéro que j'avais souvent feuilleté à l'âge de 11-12 ans: je lisais une ou deux photos, surtout celles qui avaient été prises de face, là je me fermais les yeux, pis j'imaginais que c'était pareil, sauf que c'était blanc...

Ce soir-là, en lisant le texte de l'article pour la première fois, j'apprends que dans la tribu très primitive de Pokawaka, le crousage repose tout simplement sur le chant d'amour de la tribu des Pokawaka.

(LISANT)

«Le jeune Pokawaka qui veut signifier à une jeune fille qu'il souhaite s'unir à elle pour la vie, entame devant ladite jeune fille le chant d'amour de la tribu des Pokawaka. Si la fille est willing, elle enchaîne avec sa partie à elle du chant d'amour, le gars rembarque avec sa partie à lui, la fille poursuit avec sa partie à elle,

et ainsi de suite, en même temps que chacun des deux observe les réactions de l'autre dans ses parties.
Si au contraire la réponse de la fille est négative...

(CHERCHANT)
Bon, si la réponse de la fille...
Si la réponse de la fille est négative, attends un peu...
Si la réponse...
(ABANDONNANT)
Bon, en tout cas, si la réponse de la fille est négative, j'imagine que le gars niaise un peu, mais il est pas obligé de prêter sa moto.

J'ai 17 ans, moi, l'âge d'un jeune Pokawaka.
Mais je suis pas venu au monde dans le bon pays, moi.
Je suis pas venu au monde à la bonne époque : y en a pas de chant d'amour dans ma tribu à moi.
Je suis fait.

Et un moment donné, j'allume !
Et je m'achète une guitare.
(IL VA PRENDRE UNE GUITARE REPOSANT SUR UN SUPPORT.)
17 ans, ma première guitare...

La musique était devenue comme une religion pour moi, je pratiquais quand j'avais le temps...

Je me souviens d'une fille à laquelle je rêvais souvent que je faisais l'amour quand je pratiquais tu-seul...

Yvette.

Un soir, un soir Yvette est chez nous, assise avec moi sur le sofa du sous-sol, et chez nous, le sofa du sous-sol s'ouvre.
Et là, Yvette est collée sur moi. Non, c'pas vrai : est pas collée sur moi, est *moulée* sur moi.
J'ai jamais eu aussi chaud à ce côté-là de mon corps, de ma vie.

– Yvette, bouge pas, m'a te sérénader. Non, non: bouge pas, t'es capable de rester collée, j'sus capable en même temps de jouer de la guitare, non, non, regarde ben ça, c'pas un problème, regarde ben ça, regarde ben: j'vas juste passer icitte, oup oup. C'est parce que j't'ai accroché le nez que tu pleures, là? Non, ça sera pas long, non regarde, par l'autre bord, bouge pas, bouge pas, par l'autre bord... Non, j'pas capable de t'pogner, de t'pogner... un accord...

Non, attends, mais bouge pas... bouge pas...

(IL SE RÉSOUT CHANTER À CAPELLA, EN DÉPOSANT LA GUITARE À TERRE. «Extrait de *Hélène*, de Roch Voisine».)

«...Seul sur la plage, les yeux dans l'eau
   Mon rêve était trop beau.
   L'été qui s'achève, tu partiras
   À cent mille lieues de moi.»
– *Oh Pierre... Eh que j'aime ça, quand tu chantes! C'est-tu toi qui as écrit ça, cette chanson-là?*
– Ben oui.
– *Comment tu l'as intitulée?*
– Yvette.
– *Oh Pierre, te dire... te dire ce que ça me fait, quand tu chantes!*
– All right...
(COMME IL S'APPRÊTE À LA *FRENCHER*.)
– *Non! Non, arrête pas de chanter, arrête pas, arrête jamais, jamais, jamais, jamais, jamais...*
– Jamais???

Fuck...

Je le sais pas si tu viens au monde niaiseux, pis tu transmets ça à tes enfants, je le sais pas si c'est moi qui leur montre à être niaiseux, moi, j'ai l'impression que quand j'essaye de montrer à mes enfants comment agir dans une circonstance donnée, on dirait que je fais toujours face à un dilemme.

Un dilemme. Vous savez ce que c'est, un dilemme: tu t'en vas sur un bord, tu t'en vas sur l'autre, ça marche pas plus sur un bord que sur l'autre. Bon.

Un dilemme.

Que je fasse n'importe quoi.

J'sais pas, moi; supposons: j'achète queq'chose, tiens.

Bon, j'achète... Qu'est-ce que j'achète?

O.K., je le sais: supposons que j'achète une quétune.

Une quétune.

Une quétune: ça existe pas. C'est un mot que je viens d'inventer. Je veux pas prendre un exemple précis, j'ai peur que vous restiez accrochés à cet exemple-là, et ce que j'essaye d'expliquer est beaucoup plus universel que ça.

Une quétune, O.K.?

Ça marche-tu pour une quétune? O.K. Bon. Une quétune.

Bon, j'ai acheté la quétune et là, je l'ai ramenée chez nous, et là, je suis en train de l'installer devant mon fils. Ça va développer sa coordination visuo-motrice.

Bon, finis d'installer la quétune; elle marche pas.

Je dis à mon fils: «C'est pas grave, on va essayer de comprendre pourquoi la quétune marche pas»: ça va développer sa pensée logique.

Bon, là, je «fuckaille» pour essayer de comprendre comment ça se fait que c'te quétune-là marche pas, mon installation est parfaite, c'est la quétune qui marche pas.

Je dis à mon fils: «C'est pas grave, embarque avec moi, je vais te montrer c'est quoi le respect de tes droits.»

On retourne au magasin de quétunes. Une fois au magasin de quétunes, je demande à voir le boss du magasin, et quand j'ai le boss du magasin de quétunes en face de moé, j'explique que j'ai un problème de quétune, ma quétune marche pas.

Le boss du magasin m'explique que j'ai acheté la dernière quétune qui traînait dans le magasin.

– Pis après? Vous avez juste à en commander une autre.

– *Non, on peut pas en commander d'autres, Monsieur.*
– Comment ça: «Vous pouvez pas en commander d'autres?»
– *Ils en font plus.*
– Qu'ossé «ils en font plus»?
– *Ben, y avait un problème avec: y marchaient pas.*
– Bon, ben correct. Qu'est-ce que je fais, moé, là?

Là, le boss du magasin me propose la toute nouvelle super-quétune.
– Super-quétune? Qu'est-ce qu'elle a de super, exactement?
– *Deux choses, Monsieur: un, elle marche.*
– Vous êtes sûr de ça, là?
– *Ah! Monsieur: vous aurez jamais besoin de mettre de lining-degreaser là-dedans, vous.*
– Bon, O.K. Un, a marche, et deux?
– *Est 150 piastres de plusse.*

Bon, mon fils me regarde. Si je fais rien, je suis fourré de 450 piastres; si je veux pas être fourré de 450 piastres, ça me coûte un autre 150 piastres.
Là, j'explique à mon fils qu'une compagnie qui a le souci constant d'améliorer son produit est sans doute une compagnie sérieuse et qu'on peut lui faire confiance.
Là, j'y explique une deuxième fois pour être ben sûr que lui va s'en rappeler quand moé j'vas être pris pour l'expliquer à ma femme.

Je ramène la super-quétune chez nous et je l'installe devant mon fils: ça va développer sa coordination visuo-motrice.
Bon, j'finis d'installer la super-quétune, je l'allume et...
a marche.
Woup, a marche pus, attends un peu... O.K.: a marche. Woup, a marche pus. Bon... woyons!
A marche, a marche pus: coudon, a marche quand a veut, c't'affaire-là!
Je dis à mon fils: «C'est pas grave, on va essayer de comprendre

pourquoi la super-quétune marche pas, ça va développer ta pensée logique».

Là, je «fuckaille» pour essayer de comprendre comment ça se fait que c'te super-quétune-là qui vient de me coûter 150 piastres de plusse marche pas mieux que ça... Ma femme est en arrière de moi. Elle me dit:
– *Pierre, est-ce qu'on en avait vraiment besoin de ça?*
Je dis à mon fils:
– Reste là, en même temps, m'a te développer un imaginaire ne favorisant pas la violence!

Check toute mon installation: mon installation est parfaite, c'est la super-quétune qui marche pas. Je dis à mon fils: «C'pas grave, embarque avec moé, je vais te montrer c'est quoi *la persévérance.*»
Retourne au magasin de quétunes, c'est mon fils qui explique au boss du magasin de quétunes qu'est-ce qu'y a qui marche pas.
Le boss du magasin envoye son expert-réparateur-spécialisé-qui-coûte-cher chez nous; son expert revient au magasin, donne son rapport écrit au boss: «Ma super-quétune marche très bien.»
– Non, elle marche pas «très bien»: on dirait qu'elle marche quand a veut. Bon, elle a peut-être bien marché le deux minutes que votre expert était devant, mais venez pas me dire que c'est ça, une super-quétune qui marche bien, quand même!
– *Un instant, Monsieur. On dirait que vous avez pas l'air de comprendre, là: j'ai un rapport écrit, signé par mon expert, moi icitte, là.*
– Oui, oui, non, ça je le comprends, Monsieur. Ce que moi je voudrais que vous, vous compreniez: premièrement, c'est que le chèque de paye de votre expert est signé par vous, et ça, votre expert, quand il remplit un rapport, il le sait, ça. Et la deuxième chose que je voudrais que vous compreniez, c'est qu'une super-quétune qui marche bien, c'est pas une super-quétune qui marche bien quand elle le veut, c'est une super-quétune qui marche bien quand moi je le veux. Est-ce que vous, vous êtes capable de comprendre ça, vous?

– Un instant, Monsieur, là, un instant. Là, vous vous êtes rentré dans la tête l'idée que votre super-quétune marche pas ben, c'est ça? Bon, ben c'est pas un problème: elle est garantie par la compagnie. Vous avez juste à la remettre dans son emballage original. Ils vous la réparent et c'est gratis.

– Ouaille, c'correct. La réparer, c'est gratis, mais leur retourner, ça va me coûter une affaire comme 200 piastres, Monsieur. C't'affaire-là pèse à peu près 90 livres.

– Êtes-vous satisfait, Monsieur? Oui vous l'êtes, merci, bonsoir.

– Non, Monsieur, un instant! Non mais, Monsieur, un instant! Non mais, je vous explique que la retourner...

Je dis à mon fils: «C'pas grave, c'pas grave, c'pas grave. Embarque avec moi, je vais te montrer c'est quoi *la détermination,* moi.»

Et je m'en vas à la Protection du consommateur. La Protection du consommateur me dit:

– Vous avez bien fait de venir ici, Monsieur. On est ici pour protéger le consommateur. Qu'est-ce qu'y a qui va pas?

J'explique toute mon affaire, et là, la Protection du consommateur me dit:

– Écoutez bien, Monsieur, voici ce que vous allez faire.

Je dis:

– Ah bon!

– Vous allez signifier...

– «Signifier», O.K...

– ... par courrier recommandé...

– ...«recommandé», ça c'est noté, O.K...

– ...au boss du magasin de quétunes, qu'il a 10 jours pour apporter les correctifs qui s'imposent!

– «Correctifs qui s'imposent», O.K. Sans quoi...

– Sans quoi, Monsieur, vous allez procéder!

– *All right!* Euh, combien de temps que j'y laisse, vous m'avez dit...

– 10 jours, y a pas besoin de plus que ça!

Bon, évidemment, le 11ᵉ jour, je suis revenu devant la Protection du consommateur et là, je leur dis:
– *O.K., il bouge pas à l'autre boutte, qu'est-ce qu'on fait?*
Ils me disent:
– *Faites ce que vous pouvez. Si ça marche, venez nous le dire, vous en aurez aidé d'autres.*

Je dis à mon fils: «C'est pas grave, c'est pas grave: embarque avec moé, là je vais te montrer c'est quoi *l'implication sociale.*»
Et je paye un avocat pour qu'il parte après le boss du magasin de quétunes.
L'avocat me dit:
– *Monsieur Légaré, mettez les chances de votre côté, poursuivez également le distributeur du produit, il est l'un des responsables de vos déboires.*

Je le repaye pour qu'on parte après le distributeur du produit.
Il me dit:
– *Pierre, mon chum, poursuis également le fabricant: c'est le premier responsable de tout ce qui t'arrive, ça.*

Je le repaye pour qu'on parte après le fabricant. Ah pis, *fuck,* je le repaye pour qu'on parte après l'inventeur aussi.

On reçoit leur réponse.

En fait, on reçoit la réponse de leurs 13 avocats: ils ont raison, on a tort, c'était tout écrit, là au verso de la page 2 du feuillet explicatif, les petites lignes grises traduites de l'anglais au français par un Coréen.
Non, j'sais pas, je les avais lues avec mon avocat, j'sais pas. Me semblait qu'on les avait compris, mais là, entre avocats, je suppose que ç'a été plus clair, là, j'me rends compte: j'ai perdu.
Je repaye mon avocat.

Et il y a pas d'emballage original pour retourner les avocats quand ils marchent pas.

Mon fils a tout vu ça, là. Il a vu comment j'ai essayé, il a vu comment j'ai pas lâché, comment j'ai persisté, comment j'ai respecté toutes les règles du jeu, il a vu comment je me suis acharné et il a vu ce que ç'a donné aussi.

Bon, quand il va avoir mon âge, j'ai pas peur qu'il se fasse fourrer par un avocat, il m'a vu la face.

Mais il a vu la face de l'avocat aussi, et j'ai peur qu'il en fasse un.

Les dilemmes, c'est pas juste quand j'achète des affaires.

Un matin, j'suis chez nous, un dimanche matin, je suis chez nous en train de lire le journal et là, j'apprends par le journal qu'ils ont l'intention,

«ils»,

ils ont l'intention d'ériger un complexe domiciliaire de 12 millions de dollars dans mon boutte, et j'en veux pas!

Là, je me dis: «Attends un peu, toé, qu'est-ce que je montre à mes enfants, moé, icitte, là? Attends un peu, toé...»

Bon, l'implication sociale, ça, ça coûte cher.

Euh, attends un p'tit peu, non: je vais montrer à mes enfants à se sensibiliser sur une base morale afin de...

Ah pis, *fuck*: je vais leur montrer à déménager.

Mais je peux pas déménager, moé: j'ai 3 enfants à élever, je veux qu'ils aient un milieu de vie, ces enfants-là, déjà qu'ils peuvent pas patiner dans la rue!

Pendant que je suis là à me demander ce que je vais faire, le téléphone sonne. Un de mes chums qui me dit:

– *Pierre, embarques-tu avec nous autres? Si on se tient, ils l'auront pas, Pierre. Ils l'auront pas, mais faut se tenir toute la gang ensemble. Qu'osse-tu fais?*

Je dis à mes enfants: «Je le sais ce que je vas vous montrer, je vas vous montrer la solidarité.»

On ramasse du monde, on fait une pétition.

On ramasse encore plus de monde, on fait une injonction.

On ramasse encore plus de monde, on fait un recours collectif.
On ramasse encore plus de monde, on fait un souper-bénéfice.
C'est mes enfants qui servent les binnes.
Et on finit par obtenir un rendez-vous avec le comité qu'«ils» ont chargé du projet.

On se présente devant la salle où siège le comité, et avant d'entrer, je me retourne, je regarde: tout le village est là, il en manque pas un.
Eille! coudon, c't'à qui, c'te maudit-chien-là, donc?

Tout le village est là, il en manque pas un. Là, je suis fier d'avoir amené mes enfants, parce que là, mes enfants vont voir la démocratie, la vraie démocratie, en train de s'exercer sous leurs yeux.
Je rentre, et toute le village rentre avec moi.
Et là, on regarde leur comité...
Ils sont 14 de plusse que nous autres.
T'engueules qui, dans ce temps-là?

On demande à voir le responsable.
– Non, non, non, on ne bouge pas d'ici tant qu'on n'aura pas rencontré le responsable, et on finit par rencontrer le responsable.

Le responsable... il est fin.
Non, m'a te dire, il est correct.
Il est au courant de notre problème, il est sincèrement préoccupé par ce qu'on vit. Tu vois que ce gars-là n'est pas le responsable pour rien.
Cet homme-là a annulé deux rendez-vous pour nous recevoir et il prend le temps qu'il faut pour nous expliquer que, fondamentalement, le responsable c'est pas lui, c'est une politique qui a été récemment adoptée et dont lui est simplement chargé de voir à la saine application.

Une politique?
Quand t'as une politique en avant de toé, ton poing, tu le mets où?

Moi, j'ai souvent peur que, quand mes enfants vont avoir mon âge, il va y en avoir partout, partout, des comités, pis des politiques.

Moi, j'ai peur que, rendus à mon âge, mes enfants aient plus une seule place pour mettre leur poing quand ça va mal.

J'ai peur qu'ils se lèvent un de ces matins, pis qu'y constatent qu'un poing, ça donne rien: t'es ben mieux avec des *bats* de baseball, des briques dans des vitres de char, des barrages s'a 20.

J'ai peur qu'ils se lèvent un de ces matins, qu'ils se disent que, même ça, c'est pas assez. J'ai peur qu'ils regardent la manière que certains ont trouvé pour avoir vite ce qu'ils veulent avoir, j'ai peur qu'ils fassent pareil, pis qu'ils aillent se chercher un couteau, qu'ils le mettent dans la face du gars qui leur revient pas, là.

J'ai peur qu'ils se lèvent un de ces matins, pis qu'ils se disent que même un couteau, coudon, c'est pas assez vite.

(SA MAIN REPRÉSENTANT UN PISTOLET)
Si moi, je vais tout le temps jusqu'au bout à toutes les fois que je me choque, qu'est-ce que je viens de montrer à ces enfants-là: qu'ils ont le droit de s'en servir?

O.K., si je me choque jamais, qu'est-ce que je viens de montrer à tous les autres: qu'ils peuvent faire ce qu'ils veulent avec les miens, parce que les miens feront jamais rien?

Il est là, mon dilemme.

Mes parents à moi en avaient pas de dilemmes. Tout le monde pensait pareil dans ce temps-là. Tout le monde allait à la messe le dimanche matin, tout le monde avait pris pour les Canadiens de Montréal le samedi soir. Moi, quand ma mère était pas là, j'allais me faire chicaner par la voisine: ma mère chicanait le p'tit voisin quand il venait jouer chez nous. Les deux mères s'appelaient le lendemain, y s'échangeaient le catalogue de *Simpson*, tout était beau.

Simpson a fermé. V'là quoi: 15 ans?

V'là pas longtemps, j'me suis retrouvé avec des dilemmes chez nous, dans ma cour.

Mon fils rentre, il me dit:

– *Papa, mon ami est ici, je peux-tu y prêter une bébelle?*

– Tu peux certain: ils sont non toxiques.

Il rentre deux minutes après:

– *Papa, il l'a brisée, tu voudrais-tu la réparer, s'il vous plaît?*

– Non.

– *Ben voyons, papa, t'avais dit...*

– Ben oui, «J'avais dit, j'avais dit...» Avant, je pouvais les réparer, mais à c't'heure, des affaires qui se réparent, ils en font pus. Non, mais c'pas grave, est garanti par la compagnie. Tu le sais: ça fait deux ans qu'on peut pus descendre dans la cave icitte, parce que c'est plein «d'emballages originals». Retourne jouer dehors, pis passes-y-en une autre, c'est toute!

Il rentre deux minutes après:

– *Papa, j'y en ai prêté un autre, pis il l'a encore brisée, mais là, il a fait exprès, je l'ai vu. Tu vas-tu venir le chicaner?*

– Non. Non, j'peux pas le chicaner. J'peux pas le chicaner parce que son père à lui, il comprendra pas pourquoi je chicane son fils. Son père à lui, il pense pas comme moi. Son père, lui, il pense que c'est correct que son fils agisse de même, il se dit que c'est de même qu'il va faire son chemin dans la vie et plus tard, qui sait, peut-être deviendra-t-il le responsable des politiques! Je peux pas aller le chicaner. Bon.

Si t'as deux minutes, je peux te chicaner toi, si tu veux. Lui, j'peux pas.

– *Ben oui, mais là, qu'osse que je fais?*

– Va y dire que je veux pus le voir icitte, c'est clair, ça? Dis-y de s'en retourner chez eux, c'est toute.

Il rentre deux minutes après:

– *P'pa, j'y ai dit ce que tu m'avais dit, là...*

– Oui

– *Y m'a pété la gueule.*
– Rentre ici. Bon, assieds-toi, assieds-toi ici, là.
T'sais, dans vie, des fois, il y a des gens, comme ça, ils te font mal, t'sais... mais quand ils te font mal, est-ce que tu sais à qui, vraiment, ils font mal? Est-ce que tu s...
T'as raison: c't'à toi.
Bon, O.K. Écoute ben, O.K.?
Écoute-moé ben, c't'important, O.K.:
je veux pas que tu fesses le premier, O.K.?
Mais si quelqu'un te fait mal,
défends-toé.

10 minutes après, sa sœur y fait mal...
– Rentre icitte, assis-toé là, faut j'te parle!

(À SA FILLE)
Non, toi, va dans ta chambre, va lire ton histoire du Chaperon rouge, O.K.? C'est à ton frère qu'il faut que je parle, là! O.K?
(À SON FILS)
Es-tu complètement épais, toé? Woyons donc! Quand je te dis «Défends-toé!», je veux dire excepté si c'est ta sœur ou une fille!
(Non, mais à son âge, lui, sa sœur pis une fille, c'pas la même affaire.)
Woyons donc! T'es un gars! depuis quand que les gars frappent les filles?

Sa sœur, qu'ossé que j'y dis?
– Les filles, gêne-toé pas, les gars touches-y pas?

Qu'ossé que mon gars va faire à mon âge si le vendeur de quétunes c't'une fille? Rien! C'est ça que je viens d'y montrer, là!
Qu'ossé qu'y va faire si les quétunes qu'elle veut y vendre, c'est des morceaux de phrases un soir que son chum revient de travailler aux cerises en Ontario...

Mes enfants le comprennent-tu que je vis des dilemmes?

Qu'ossé qu'y comprennent, ces enfants-là, quand je leur dis :
– Bon, là, les enfants, j'm'en vas au dépanneur ; là, c'est pas le temps de m'achaler avec votre gomme, vos bonbons, pis votre cochonnerie, là. J'm'en vas juste m'acheter un paquet de cigarettes.

Qu'ossé qu'y comprennent quand ils viennent me voir, pis qu'ils me disent :
– *Eille ! p'pa, viens-tu jouer avec nous autres ?*
– Jouer ? J'ai pas le temps de jouer ! Tu vois ben que je travaille ! J't'en train de nous faire une salle de jeu, là !

Qu'ossé qu'y comprennent quand je leur dis :
– Bon, là, les enfants, vous allez vous arranger tout seuls quelques minutes, il faut que maman vienne avec moi... Qu'ossé, vous êtes pas capables de vous arranger tout seuls 10 minutes ? Mais si vous devenez jamais plus autonomes que ça, quand est-ce, quand est-ce que maman va pouvoir venir avec moi pour m'acheter des bas ? Quand ?

Mes enfants m'aiment-tu autant qu'ils aiment Passe-Partout ?

Un petit enfant qui reconnaît son père déguisé en père Noël, il arrête-tu de croire au père Noël ou de croire en son père ?

Comment ça se fait que dans ma cave j'ai une *can* de peinture anti-rouille qui est rouillée donc, moé ?

Pourquoi que sur le dessus de ma tondeuse à gazon, c'est écrit : Ne pas utiliser à l'intérieur ?

Les salons funéraires qui donnent une garantie, c'est-tu nécessaire, ça ?

Dans les camps de nudistes, celui qui grimpe en haut du sapin pour aller accrocher le p'tit ange à Noël, il est-tu volontaire, lui ?

Pourquoi qu'en plein milieu de mon cours de relaxation, on a un repos de 15 minutes ?

Ça se peut-tu, quelqu'un, que c'est l'intérieur de son nez qui pue ?

Quelqu'un qui voit rien sans ses lunettes, quelle sorte de nettoyage qu'il fait quand il les enlève pour les nettoyer?

Mettons que je suis allé à la pêche, pis j'ai rien pogné, je dis au monde que je suis allé à la pêche à quoi?

Mettons que je suis pris dans un feu, je crie «Au feu!»; mettons que j't'en train de me noyer, pourquoi je peux pas crier «À l'eau!»

Ça peut-tu causer des problèmes au monde qui vient en visite chez nous si j'ai appelé mon chien «Va-t-en»?

Mettons que je vends des pancartes «À vendre»; bon, faut j'mette une pancarte «À vendre» dessus, là faut j'en mette une sur celle que je viens de mettre, là faut que j... Coudon, ça arrête quand, ça?

Moi, je mets toujours un journal dans le fond de la cage de ma perruche. À quoi pense ma perruche quand elle me voit lire un journal?

Psychologiquement, c'est-tu une bonne idée de faire travailler les gars de la voirie à la journée longue entre deux pancartes qui disent «Hommes au travail, ralentissez!»?

Mettons que j'embarque un somnambule qui fait du pouce, pis y se réveille. Mon char se retrouve-tu dans sa chambre, moé là?

Quand on va voir un spectacle, pourquoi qu'on paye avant?

(FIN DU SPECTACLE ET APPLAUDISSEMENTS)

(REVENANT)
Aux éclairages, aujourd'hui, il y avait Bruno Jacques,
à l'installation technique, il y avait François Ranger,
et à la sonorisation et à la captation, il y avait Jean-Pierre euh...
woyons, Jean-Pierre euh...
(LE PUBLIC RÉPOND: CARMICHAEL.)
... Doucet

(IL PREND LA GUITARE ET, COMME ON CROIT QU'IL VA EN JOUER, ON ENTEND L'INTRO, AU PIANO, DE LA CHANSON *LES ENFANTS,* paroles et musique de Pierre Légaré)[1].

Manuelle, ma grande, si tu savais,
Tout c'que ça m'fait
Quand il faut que j'te laisse
Pour aller faire le clown,
Faire ma business,
Chanter ma toune.

Catherine, j'sais que t'es pareille,
C'est l'prix qu'on paye.
Faut pas m'en vouloir trop
Si, pour gagner ma vie,
C'que j'ai pensé,
C'est d'faire des shows.

Y aura du temps pour être ensemble.
Combien, ça je l'sais pas, mais on va l'prendre.
On patinera entre les voitures,
On s'fera un fort en glace, c'est les plus durs,
On comptera les trains qui passent,
On donnera des noms aux nuages,
On se trouvera une côte en neige,
En neige pas trop beige.

Guillaume, des fois j'ai peur,
J'n'ai mal au cœur,
J'vas me r'tourner un jour,
Pis j'vas voir que t'es grand,
Pis qu'c'est pus l'temps de dire
«Ben viens, là je l'ai, l'temps!»

---

1.   Les arrangements sont de mon vieil ami Roger Joubert, de même que l'interprétation.

(COMME IL S'APPRÊTE À QUITTER, ON ENTEND LA VOIX DE JEAN-PIER.)

Mesdames et messieurs, ce spectacle est garanti. Si vous n'êtes pas satisfaits, vous pouvez soit le retourner à la compagnie dans son emballage original, soit bénéficier d'un remboursement ici même sur la scène.

Veuillez apporter votre billet, merci.

(FOUILLANT DANS SES POCHES POUR VOIR S'IL A DE L'ARGENT, IL RESTE SUR SCÈNE ET ATTEND[1].)

---

1. En 33 mois de représentations, il n'y a eu aucune demande de remboursement.

LÉGARÉ

2

Préface

Ce deuxième spectacle m'a semblé initialement plus difficile à écrire que le premier, «Recherchez Légaré».

Un peu, parce que le premier, j'avais eu presque quarante ans pour y penser, alors que pour le deuxième, je n'en avais eu que trois.

Beaucoup, parce qu'avec un premier spectacle, on n'a absolument rien à perdre.

Surtout, parce qu'au deuxième, on a tendance à se demander ce qui a le mieux marché dans le premier, si on ne devrait pas le conserver dans le deuxième, si on ne doit pas plutôt surprendre, etc.

Finalement, je me suis rendu compte de deux choses.

Premièrement, ce n'est pas trois ans que j'ai eus pour penser à ce deuxième spectacle, mais bien quarante-trois.

Deuxièmement, on n'écrit pas pour la critique, le metteur en scène, les amis, ni même le public. On écrit pour soi, on s'écrit à soi.

Le premier spectacle, «Recherchez Légaré», traitait du fait que l'univers a été revu, mais non corrigé, et qu'il m'apparaît impossible de bien préparer mes enfants à y vivre.

Ce deuxième porte sur l'impossibilité de vraiment communiquer, chacun ayant sa propre vision d'une même réalité et sa propre vision intérieure, souvent secrète.

Le texte qui suit est la transcription d'une des dernières représentations de «Légaré 2», au printemps 1995.

Robert Blondin en assurait la mise en scène, le reste de l'équipe était le même: Bruno Jacques aux éclairages, François Ranger à la sonorisation, Jean-Pier Doucet à la direction de production et de tournée.

Chut, on tamise l'éclairage...

PREMIÈRE PARTIE

(LÉGARÉ ENTRE, VIENT AU CENTRE, NE FAIT RIEN PENDANT 15 SECONDES.)

(RETIRE LE MICRO DE SON SUPPORT, S'ADRESSE AU PUBLIC.)

Bonsoir.

(LE PUBLIC RÉPOND «Bonsoir».)

C'parce que quand je suis entré, j'avais une toune que je me chantais dans la tête, pis je voulais la finir.

C'est-tu comme ça, vous autres aussi? Moi, il faut que je finisse les tounes que je me chante dans la tête.

Y a quand j'suis en train de finir une toune, pis qu'y faut que je réponde au téléphone, des fois, la personne à l'autre bout du fil panique...

À la banque, ça va mieux depuis que le directeur m'a demandé de plus y aller le jeudi quand y a des files d'attente...

Y a quand je conduis mon auto: y faut que je me souvienne de pus commencer une toune sur un stop. L'automne passé, y a un gars qui sort d'une des autos de la filée qui s'était formée en arrière de la mienne:

– *Coudon, qu'ossé que t'as qui t'empêche d'avancer, donc, toé?*

(CHANTANT, EN RÉPONSE)

– Je suis seul et ne veux penser qu'à toi.

J'ai gagné mon procès. J'ai dit au juge: «Votre honneur, sur le stop, c'est écrit d'arrêter; ça dit pas qu'y faut repartir.»

Salut.
(LE PUBLIC RÉPOND «Salut».)
Comment ça va?
(LE PUBLIC RÉPOND «Ça va bien».)
Moi aussi: j'ai fini ma toune.

Allô!
(LE PUBLIC RÉPOND «Allô».)
Salut!
(LE PUBLIC RÉPOND «Salut».)
Bonsoir.
(LE PUBLIC RÉPOND «Bonsoir».)
On est pareils: moi aussi, quand on me salue, je réponds toujours la même chose qu'on vient de me dire: «Bonjour-bonjour, salut-salut...» C'est comme un réflexe.

Moé, je l'ai fort, ce réflexe-là. En plein mois de juin, tu me dis:«Joyeux Noël», je réponds: «Joyeux Noël». Faut dire que l'été passé, ç'a pas aidé: une journée sur deux, j'étais sûr qu'y était pour neiger.

Mais en général, je trouve que c'est un bon réflexe. Quelqu'un te salue, t'as pas besoin de penser à ce que tu vas répondre, tu dis la même chose qu'il vient de te dire, c'est parfait.

Excepté à l'aéroport quand je prends l'avion, je passe mon temps à répondre:«Bon voyage» à du monde qui part pas.
Pis, y a au restaurant: j'arrête pas de dire: «Bon appétit» à la serveuse, chaque fois qu'elle m'apporte une assiette.

Je connais une serveuse qui a le même réflexe que nous autres, mais elle, en plus, on dirait qu'elle est accrochée sur «Bonne journée».
T'as fini de manger, tu payes, tu pars, tu dis: «Salut», elle répond: «Salut, bonne journée».
Tu dis: «Bye», elle répond: «Bye, bonne journée».
Tu y dis: «Bonjour», elle répond: «Bonjour, bonne journée[1]».

---

1.   En tout cas, pour moi, c'est la même chose.

La dernière fois que je l'ai vue, j'y ai pas pensé, je voulais y dire tu-suite: «Bonne journée», juste pour voir si elle répondrait: «Bonne journée, bonne journée».

Faut avouer que c'est des phrases qu'on dit tellement souvent, on vient qu'on réalise pus ce qu'on dit.

Comme quand quelqu'un me dit: «Bonjour», des fois je me dis: si je pensais vraiment à ce qu'il vient de me dire, ce qu'il y a de plus logique à répondre, c'est:

– Merci, vous aussi, je l'espère, et toute votre famille.

Ou, j'sais pas, une journée que c'est parti pour aller mal, la personne te dit:

– *Bonjour.*

Tu réponds:

– J'penserais pas, mais t'es ben fin pareil.

C'est comme quand on demande au monde: «Comment ça va?» Je trouve ça dommage, parce qu'on le demande toujours de façon automatique, pis le monde répond toujours automatiquement: «Ça va bien», ce qui fait que, dans le fond, on le sait jamais comment vont vraiment les gens.

J'viens de recevoir mon compte de taxe, j'ai fait un *flat* en m'en venant, j'reste dans un deux-et-demi avec un Saint-Bernard...
... qui a la gastro: «Comment ça va? – Ça va bien.»

Remarque que si les gens répondaient vraiment, quand on leur demande comment ça va, y a peut-être des fois où ça deviendrait gênant...

– *Salut, ça va bien?*

– Ben là, ma femme veut partir, mon char, c'est le contraire.

Y a mon chat qui a tué une souris la semaine passée, il l'a rentrée dans la maison, on sait pas où il l'a mis, ça pue.

J'ai un solde de 3119 piasses sur ma carte Visa, ma limite de crédit, c'est 1500 $. La fille de chez Visa m'a appelé, elle paniquait au bout de la ligne. J'ai fini ma toune, ç'a été mieux. Elle me dit: «Monsieur, on a examiné votre dossier et, selon nous, vous n'avez aucune notion élémentaire de la façon logique de gérer les fonds qui vous sont confiés. Vous faites quoi, exactement, dans la vie?» J'ai répondu: «Ministre des Finances. À part de ça, j'ai une tétine dans le cou. Elle repousse à chaque fois que je la gratte, ça fait que là j'ai commencé à me gratter le dessus de la tête pour voir ce qui arrive.»

C'est comme le mot «excuser».
J't'allé voir dans le dictionnaire. «Excuser» veut dire exactement la même chose que «pardonner», mais ça, je l'oublie, pis je me rends compte que ce que je dis effectivement très souvent, c'est:
– Woups, j't'ai pilé su'l pied. Pauvre toé, je me pardonne.

Le mot «remercier».
Moi, j'étais sûr que je savais ce que veut dire le mot «remercier». «À la suite de cette compression budgétaire, 200 employés ont dû être remerciés.»
– ... Bienvenue.

(REPLACE LE MICRO DANS SON SUPPORT.)
Des phrases de ma mère que j'ai jamais comprises:
– *Pierre, le plancher est froid, mets-toi quelque chose dans les pieds!*
– J'peux pas, maman: mes pieds sont pleins.

– *Pierre, finis de manger ce qu'il y a dans ton assiette: il y a des p'tits enfants sur la Terre qui ont rien à manger.*
– Justement, on serait pas mieux de leur en laisser, de temps en temps?
– *Pierre, si tu pars en auto, mets-toi des sous-vêtements propres. Si jamais tu te tues dans un accident, ils te déshabillent pour faire l'autopsie, pis j'ai pas l'idée de passer pour une cochonne.*

Et je pense que j'ai hérité ça d'elle, parce que je me rends compte, quand je reçois chez moi de la visite qui arrive de loin, c'est immanquable, je leur demande à chaque fois:
– Pis, avez-vous réussi à trouver le chemin pour vous rendre ici?

(CONSTATE QUE LE MICRO EST REVENU DANS SON SUPPORT.)
Excusez.

C'parce que je remarque que le micro est revenu dans son support. C'est sûr que c'est moi qui l'ai remis là, mais j'suis incapable de me souvenir du... C'est-tu le fun, hein, le moment où tes mains «savent» tu-seules ce qu'y ont à faire.

Des matins, j'sus pas encore réveillé, j'essaye de me souvenir quel jour qu'on est, je regarde: mes lacets sont déjà attachés...

Ou, j'ai fini de souper, je regarde: ma table est essuyée, les assiettes sont dans le lave-vaisselle, les chaudrons sont su'l comptoir, l'eau chaude coule déjà dans l'évier, mon voisin rentre, il me dit:
– *Woup, j'te dérange là, hein? T'es après secouer les miettes de ta lavette au-dessus de ta poubelle.*
– Moi? J't'en train de regarder les nouvelles à la télé.

Tes mains savent.

Encore plus phénoménal: je cherche une place pour stationner, y en a une là; pas grave, j'vas reculer pour enfiler dedans... Bon, ça y est: une auto qui apparaît dans mon rétroviseur, mais là, y a ma main qui dit:
– *Pas de problème, pendant que je tournais le volant, j'ai dit à ton doigt d'accrocher le clignotant en passant. Il l'a vu, lui, en arrière, il va t'attendre.*
– (À LA MAIN): Merci.
– *De rien.*
– (À SON MAJEUR): Merci, toi aussi.
– *Ah, moi, j'ai pas de mérite, c'est ta main qui me l'a dit.*

Ou, je viens juste de me coucher, pis là, j'sus sûr que j't'après jaser avec ma femme de la journée que j'ai passée... mais là je l'entends qui fait: «Aaahhhh...»
(CONSTATE QU'IL AVAIT LAISSÉ SON MAJEUR REDRESSÉ ET REDRESSE PRESTEMENT LES AUTRES

DOIGTS.)
Tes mains savent...

Regarde cet après-midi, j't'arrivé 4 heures avant que ça commence, pour euh... pour installer le décor[1]...
Eille! tsé la chose dont je vous parlais v'là, quoi, une minute et demie, «les affaires qu'on dit, mais on a oublié ce que ça veut dire». Moé, j'ai remarqué qu'au garage, quand le mécanicien me demande comment ça va, là, je réponds vraiment. Mais on dirait que je réponds à place de mon char:
– *Salut, ça va bien?*
(SE MET LES MAINS DANS LES POCHES.)
– Ben, quand je pars le matin, j'ai un gros *puff* de fumée bleue qui me sort en arrière. Tu trouves pas que mon derrière est bas? Coudon, c'est-tu normal que le bout de mon tuyau soit noir de même, moé? Eille! pis si t'as le temps aujourd'hui, j'sais pas de quoi ça dépend, mais le soir, j'ai de la misère à me mettre sur les grosses.

En fait, c'était pas pour installer le décor que j't'arrivé plus de bonne heure, c'était pour réfléchir à ce que je vous dirais en commençant le spectacle.
C'parce que je pensais aux avions.

(SORT PRÉCIPITAMMENT SES MAINS DE SES POCHES.)
O.K. C'était juste pour vérifier ce qu'elles étaient en train de faire...

C'parce que j'ai remarqué que, quand je prends l'avion, eux autres, ils se demandent pas ce qu'ils vont nous dire en commençant, ils commencent toujours de la même manière: les consignes de sécurité:
Comment attacher ma ceinture pour pas que je me cogne les genoux dans le dossier du gars en avant et que je le dérange si jamais on s'écrase à 600 milles à l'heure;

---

1.   Il n'y a pas de décor.

76

les petites lumières rouges dans l'allée qui vont s'allumer automatiquement pour nous indiquer les sorties, si jamais il y a une urgence, mais si jamais il y a une urgence, c'est dans l'allée qu'on va toute se garrocher, on les verra pus personne ;
et, en dessous de mon siège, la veste de sauvetage pour que, si jamais on tombe dans l'Atlantique, au moment où l'avion arrive au fond, l'eau rentre dans l'avion, et quand le niveau de l'eau atteint les vestes de sauvetage, c'est ça qui fait remonter l'avion et, une fois revenu à la surface, t'as juste à suivre les petites lumières rouges en dessous de l'eau dans l'allée et, grâce à ta veste de sauvetage, tu peux nager jusqu'à la terre la plus proche : le Groënland.

Les compagnies aériennes font ça pour me rassurer, mais tu vois, moé, c'est là qu'y me font peur.

Parce que moé, dix secondes avant, dans ma tête, c'est pas pantoute à ça que je pensais, moi.
Moi, je pensais à ce que je ferais là-bas en arrivant...
Ce qu'y aurait comme film pour que le vol passe plus vite...
Si mon voisin était du genre à prendre les deux appuie-bras ou à m'en laisser un...
Mais woups ! l'hôtesse de l'air vient de donner les consignes de sécurité.
Là, je passe les prochaines 6 heures à tester le hublot ;
je regarde l'aile pis là je me dis : «Me semble que ça serait plus fort si y avait une broche qui partait du milieu de l'avion, pis qui la pognait au boutte, comme moé j'ai mis après mon *bumper,* là tsé. Mais non : y a rien.»

Je regarde le p'tit morceau de tôle vertical de 2 pieds carrés qui tient le moteur d'une tonne et demie après l'aile.
Je compte les rivets qu'y a sur le p'tit morceau de tôle pour être ben sûr qu'y en manque pas un, pis là je me dis : «Eux autres, quand y manque des rivets, y en achètent-tu d'autres, ou ben don

si y les prennent sur le bord qu'on voit pas pour les mettre sur l'bord qu'on voit?»

Je regarde l'expression dans le visage de l'hôtesse de l'air, et là je me dis: «Elle, c'est-tu vraiment dans sa nature d'être aimable de même ou si elle le sait que, présentement, elle est en train de me servir mon dernier repas...?»

Dans le sens que, tsé ce qu'y disent en psychologie:
«C'est dans les premières 4 minutes que se décide pour la vie l'impression que tu laisses à la personne que tu rencontres pour la première fois!»
Bon ben moé, la première impression que me laissent les compagnies aériennes, c'est que c'est du monde insécure, ça. Du monde pessimiste, pogné par en dedans, et je suis sûr que c'est le contraire qu'y veulent me laisser comme première impression, et je trouve ça dommage.

Ça, c'est pareil comme si je vous invitais toute à souper chez nous, mais que pour ben faire, avant de vous servir, ma femme vous faisait toute la démonstration du *Bromo-Seltzer*...
... où se trouve le bol de toilette,
... les *plasters*, si jamais tu te coupes avec ton couteau à steak et, quand tu soulèves le téléphone, le numéro du centre antipoison.
Et que là, elle vous disait: «Mesdames et messieurs, au nom de ma famille et moi-même, nous vous remercions d'avoir choisi notre table pour souper, nous espérons que vous connaîtrez un agréable repas. Bon appétit.»

Et ce que je me disais, c'est que si l'histoire des premières 4 minutes, c'est vrai pour le monde que tu rencontres pour la première fois, pis c'est vrai pour les compagnies aériennes, ça doit être vrai aussi pour les débuts de spectacle. C'est à ça que je pensais quand je suis arrivé sur scène.

Mais là, ça s'en vient compliqué.

LÉGARÉ 2

Parce que dans vie, t'es ce que t'es, mais t'agis pas en fonction de ce que t'es. T'agis en fonction de ce que tu penses que t'es. Et ce que tu penses que t'es, c'est pas nécessairement ce que t'es. Et en face de toé, y a l'autre. Et l'autre, y voit pas ni ce que t'es ni ce que tu penses que t'es: lui, tout ce qu'y voit, c'est de quoi t'as d'l'air.

Et ça, toi, à un moment donné, t'en deviens conscient. De sorte qu'à un moment donné, en même temps dans ta tête, y a:
ce que t'es,
ce que tu penses que t'es,
ce que t'as d'l'air,
ce que tu penses que t'as d'l'air,
mais grouille! parce que t'as juste 4 minutes pour créer ta première impression.

Et là où ça devient vraiment compliqué, c'est quand tu réalises que l'autre est probablement arrangé exactement comme toi. mais t'as quand même juste 4 minutes, et ce à quoi j't'en train de penser présentement en même temps que je vous parle de ça, c'est que moi-même, ça fait déjà plus que 4 minutes que je suis ici, de sorte que tout ce que je vais vous dire, à partir de maintenant, est complètement inutile.

Je me pardonne.

C'est pas juste avec le monde que je rencontre pour la première fois.
Souvent, je pense que ma femme pis moi, on vient pas de la même planète.

Y a des fois, elle me parle, elle utilise des mots que je sais, elle fait ses phrases d'une manière que je connais, mais des fois, je le sais pas pourquoi, dans mes oreilles, ça sonne pareil comme si elle disait:
– *Natawéno kassola, dékonngui somatowé?*

C'est comme... c'est «deux planètes».

79

Elle va me parler, mettons, des problèmes de Josée avec son mari.

Bon, Josée, je la connais pas.

C'est peut-être quelqu'un qu'elle connaît, ou qu'elle connaît pas : c'est quelqu'un d'autre qui y en a parlé ; en fait Josée, elle est même pas obligée d'exister.

C'est pas grave : elle peut m'en parler pareil pendant une demi-heure.

Un moment donné, j'y dis :
– Pourquoi que tu me parles de ça ?
– *Ben, c'parce que Josée pis son mari, ils forment un couple comme nous deux on est un couple.*
– Ouaille, pis ?
– *Ben Josée, c'est parce qu'elle vit un problème de communication avec son mari, pis quand elle essaye d'y en parler, lui ç'a pas l'air de l'intéresser. Ça fait que là est même rendue qu'elle utilise des moyens détournés pour essayer de ramener ça sur le sujet de la conversation, mais lui, y a pas l'air de comprendre du tout ce qui se passe...*

(EXPRESSION DU GARS QUI PENSE AVOIR COMPRIS LE MESSAGE QUE SA FEMME TENTE DE LUI PASSER.)
– Est-ce que moi je peux faire quelque chose pour Josée ?
– *Euh, non.*
– Est-ce que c'est Josée qui t'a dit de m'en parler ?
– *Non plus, oublie ça, O.K. ?*

Tu voés, moé, sur ma planète, c'est pas de même. Moé, quand j'y parle, c'parce que je veux y dire *une* chose, qui s'adresse à elle, et qui vient de ce que moi, je vis. Exemple :
– Qu'osse qu'y a pour souper ?

La T.V.
Ça va faire 21 ans dans 3 semaines que je regarde la T.V. avec ma femme, on regarde la même T.V., on voit pas la même chose.

Moé, ce qui m'intéresse dans une émission de T.V., c'est simple: le score à la fin.

Pas elle. Elle, on dirait que c'est toute le reste.

Exemple: elle a suivi toute la série *Jamais deux sans toi*. Quand ça été fini, elle me dit:

– *Je t'ai enregistré le dernier épisode. Ça te tente-tu de le regarder?*

– Ben, ça dépend: la fille qui s'était pitchée par le châssis, est-tu morte?

– *Non.*

– Pus besoin.

Magasiner, c'est deux planètes...

Moi, quand je vas magasiner, avant même de partir de chez nous, je sais ce que je veux, où ça se trouve, combien je vais payer pour.

Pas elle.

Elle, quand elle va magasiner, c'est: «Au cas qu'elle verrait de quoi».

Elle est allée la semaine passée parce qu'elle avait plus de pantalon à se mettre. Elle est revenue avec trois blouses, pis un foulard.

Sur les 3 blouses, elle va en retourner deux. Moé, j'haïrais ça que ça m'arrive, pas elle. Elle, elle est contente: la vendeuse était gentille, elle va la revoir, y vont parler ensemble de Josée, je le sais pas...

J'sus de moins en moins sûr que l'homme et la femme peuvent vraiment se comprendre. C'est dans toute.

On décide, mettons, qu'on va faire un tour chez son cousin qui reste à trois quarts d'heure de chez nous. À un moment donné, ça fait, quoi? deux heures et demie qu'on est partis. Là, j'entends ma femme qui dit:

– Veux-tu ben me dire dans quel maudit coin on va encore rester pognés?

– On peut pas rester pognés dans un coin, la terre est ronde.

Elle, son idée, c'est qu'on arrête s'informer.

– Ouaille, mais si le gars auquel on s'informe est aussi mêlant que ton cousin, pis que là on se perd?

– Pierre, on est déjà perdus.

– Oui, mais «perdu» c'est pas comme «mort», ça. Quand t'es mort, tu peux pas être plus mort ou moins mort, t'es mort. «Perdu», c'est plus comme «blessé», et là, ce que j'essaye de faire, c'est qu'on soit moins blessé.

– Tu veux pas l'avouer que t'es perdu, hein? Eh, que vous êtes donc toute pareils, les hommes...

– Non, c'pas ça! O.K., mettons que le gars sait même pas le chemin?

– Ben voyons Pierre, s'y l'sait pas, il va le dire.

– Non, il le dira pas: on est toute pareils, les hommes.

C'est deux planètes.

Un moment donné, je me dis: «Ç'a pas de bon sens, faut que je fasse de quoi si je veux qu'on reste ensemble. Je le sais: j'vas aller magasiner avec elle.»

Essayez pas ça.

C'est impossible que ça marche.

Moé, quand je rentre dans un magasin, j'aime mieux faire affaire avec *un* vendeur. En le voyant, j'y dis pas que j'ai un problème de *sump-pump*, je me mets dans la face l'air du gars qui sait déjà toute sur les *sump-pumps,* pis qui s'en vient juste *checker* si, lui-même, il sait de quoi qu'y parle. Et lui-même, en me voyant, fait exactement la même chose. On est là tous les deux à s'expliquer comment ça devrait marcher une *sump-pump,* on se *bull-shit* à peu près égal un dix-quinze minutes, à la fin on *swing* un *deal*. On est deux gars, on vient tous les deux de la même planète, on se comprend.

Ma femme: elle, elle aime mieux *une* vendeuse.
La vendeuse parle pas pantoute de ce qu'elle vend, elle me demande pas pantoute ce que je veux.

La vendeuse, ce qu'elle fait, c'est qu'elle fait parler ma femme de ce que ma femme vit.

De sorte qu'on sort de là au bout de 10 minutes avec une patente sur laquelle je connais absolument rien, mais dans ce magasin-là, y a une vendeuse qui connaît toute sur nous autres.

Et là, j'me dis: «Quand elle va avoir fini sa journée, quand elle va arriver chez eux à soir pour souper, c'est juste normal: elle va sûrement avoir le goût d'en parler... probablement avec son mari...»
Malgré que ça, ça m'inquiète pas trop, parce que dans ses oreilles à lui, ça va probablement sonner comme *«Natawéno kassola, dékonngui somatowé»*.

Une chose qui est absolument fascinante sur la planète de ma femme: les bobos que moi-même je peux me faire à moi-même. Supposons que je me suis fait une poque s'a tête. Fouille-moé comment, elle finit toujours par s'en apercevoir.
Là, elle me dit:
– *Pierre, tu t'es cogné la tête? Ça fait-tu longtemps?*
– Je l'sais pas, une semaine...
– *Pourquoi tu me l'as pas dit?*
– Pourquoi j't'achalerais avec ça?
– *Parce que j'sus ta femme, Pierre! Pis quand il t'arrive quelque chose, ça m'inquiète.*
– Bon, ben, c'est justement pour ça, pour ne pas t'inquiéter que je t'en ai pas parlé.
– *Pierre, tu comprends pas: c'est quand il t'arrive quelque chose et que tu m'en parles pas, c'est ça qui m'inquiète.*
– Bon, ben, probablement que l'affaire que j'me suis dit, c'est: «une poque s'a tête, ça vaut pas la peine...»
– *Pierre, tu te rends pas compte que quand t'agis comme ça,*

c'est pareil comme si moi, je valais pas la peine? Un moment donné, je finis par être pus rien, moi, ici... et ça me dévalorise.
– Ouaille! ben là, on a un problème, parce que moé, j't'un gars, pis moé, me plaindre quand j'me suis fait mal, c'est ça qui me dévalorise, moé. Ça fait que là, j'sais pas ce qu'on va faire.
– *Ah! mon Dieu, ce qu'on va faire, c'est simple: on va agir à ta manière, on se parlera pus.*
– Whoa! munute: c'est quoi c't'histoire-là: «agir à ma manière, on se parlera pus», qu'ossé que c'est ça?
– *Tu parles pas, toi. Tu t'en rends pas compte, mais tu parles pas.*
– Voyons donc, toé: quand je veux dire quelque chose...
– *J'te parle pas de «dire quelque chose», j'te parle de «parler». Tu parles pas. Plus que ça: quand moi je parle, t'écoutes pas.*
(APRÉS QUELQUES SECONDES)
– Hein?
– *Je veux qu'on se parle, Pierre. Comprends-tu ça?*
– Je comprends très bien. Qu'ossé que tu veux que je te dise?
– *Je veux pas que tu me dises quelque chose, ce que je veux, c'est que tu me parles. Comprends-tu?*
– Oui, je comprends, mais de quoi tu veux qu'on parle?
– *C'est pas important de quoi on parle, ce qui est important, c'est «qu'on parle»... Comprends-tu?*
(IL ACQUIESCE, MAIS N'A RIEN COMPRIS.)
(CROYANT AVOIR UNE BONNE IDÉE POUR S'EN SORTIR)
– Commence, toi.
– *Non, toi, commence.*
– Ben, oui, mais de quoi je parle? Faut parler de quelque chose!
– *Pierre, on peut parler de n'importe quoi, on peut parler – j'sais pas moi – du bobo que tu t'es fait sur la tête...*
– Non, pas le bobo que je me suis fait sur la tête. Réalises-tu qu'on va passer une heure à parler d'une poque?
– *Justement, Pierre, ça serait peut-être le fun, une fois de temps en temps, quand on est juste tous les deux, pis qu'on décide de*

faire quelque chose ensemble, que ça dure plus que trois minutes...

Un moment donné, je me dis: «O.K., c'peut-être elle qui a raison.

Je m'inquiète pour rien. D'abord, qu'ossé qu'a va faire: elle va dire «Pau' Pitou», elle va me donner un bec, ça va être fini.»

C'est pas fini.

Là, elle veut savoir si j'ai d'autres bobos ailleurs, si j'ai d'autres affaires qui me font mal, qui m'inquiètent, qui me préoccupent, qui marchent pas à mon goût, qui me frustrent, qui m'empêchent de dormir...
Moé, c'est pas de même.

Moé, quand je vois qu'elle s'est fait une poque sur la tête, j'y dis pas:
– T'es-tu faite d'autres poques ailleurs?
J'y dis:
– Sur quoi tu t'es poquée?
Elle me dit:
– *Sur la porte de l'armoire de cuisine.*
– Bon, ben, en attendant que j'achète des pentures à *spring,* referme-les toi-même, tu te cogneras pas dessus.

Et c'est réglé.

Ou des fois, elle se met à me parler de Francine.
Francine, j'sais même pas son nom de famille, elle travaille avec.
Francine, elle a un labrador qui mange plus de bourrure de sofa qu'y mange de *Purina,* elle a un p'tit qui est asthmatique et un char qui part pas. Et là, ma femme me dit:
– *Pauvre Francine, elle sait pus quoi faire.*

Moé, c'est clair: qu'a vende le labrador.
Avec ce qu'elle va sauver sur le *Purina,* elle va pouvoir faire faire un *tune-up* sur son char et avec la bourrure de sofa, pis le

poil de chien qui va arrêter de se ramasser partout dans c'te maison-là, le p'tit sera pus asthmatique!

Mais tu vois, c'est pas ça que ma femme voulait que j'y dise.

En fait, j'sus même pas sûr qu'a voulait que j'y dise queq'chose. Parce que, ce qu'elle me dit, c'est que quand elle m'arrive de même avec un problème, pis que moi j'y rebondis tu-suite avec la solution que ça y prend, elle, elle dit que je me fous complètement de son problème, et que c'est parce que je veux pas en entendre parler que j'agis de même.

– Mais, c'est pas vrai que je me fous complètement de son problème. La preuve, c'est que j'arrive avec une solution, moi!

– *Pierre, t'as rien compris. J'ai jamais dit que tu te fous complètement de son problème. Ce que j'ai dit, c'est qu'on dirait que tu te fous de ce qu'elle vit dans son problème. C'est ça que j'ai dit.*

– Ouaille! ben là, écoute-moé ben. Si Francine, elle veut juste parler de ce qu'elle vit, y a des vendeuses dans toute les magasins pour ça!

J't'un gars, moé!

Moé, parler d'un problème que j'ai, c'est comme retourner me sacrer d'dans, me caler d'dans jusqu'au nez, les mains attachées dans le dos pour pas pouvoir me défendre devant quelqu'un qui voit comment je peux être épais des fois, qui voit toute mes points faibles, qui peut s'en servir contre moé n'importe quand, pis qui peut aller conter ça à n'importe qui.

Moé, parler à quelqu'un d'un problème que j'ai, c'est ça.

Mais elle, c'est pas ça.

Elle, parler d'un problème qu'elle a, c'est le partager, pis ça, ça la fait filer mieux.

Ça fait que là, c'est moé qui est rendu avec un problème, parce que là, moé je l'sais pus si oui ou non, y faut que j'achète des pentures à *spring* parce que là j'me dis: «Si a se fait pus jamais mal, a filera jamais mieux.»

Non, c'pas vrai, j'sus pas rendu avec un problème, j'sus rendu avec deux: parce que le jour qu'elle va s'apercevoir que j'ai un problème, elle va vouloir que j'y parle de ce que je vis.

Demain.

Demain, à midi, j'y dis.

Demain, j'vas arriver, y va être midi, j'vas y dire: «Écoute, c'est toé qui as raison, je devrais te parler un peu plus de ce que je vis, et ce que je vis, dans le fond c'est simple: ce que je vis, c'est...
... que je m'en vas acheter des pentures à *spring.*»

Non, ça, ça règlera rien.

Au contraire, j'vas me retrouver avec un troisième problème: elle va vouloir venir les acheter avec moé.

Quatre: je vas me ramasser avec une vendeuse.

Cinq: j'vas revenir chez nous avec des pentures sur lesquelles je connais absolument rien.

Six: j'vas être pris pour les retourner la semaine d'après.

Sept: je vas me ramasser avec la même vendeuse.

Huit: elle va vouloir avoir des nouvelles de Josée, pis j'en ai pas: ma femme veut pus qu'on en parle!

C'est deux planètes.

À part de ça, c'est pas vrai que je parle pas.

La preuve: ça doit faire un gros quinze minutes que je vous parle de ça.

Évidemment, pas fou: j'sais que ma femme est pas icitte.

Moi, je trie des clous. Y en a-tu qui font ça, ici?

Je trie des clous.

C'est pas des clous que je vais utiliser sur des gros chantiers avec des ouvriers, là. Au prix qu'y sont rendus, les ouvriers, j'sus pas pour les payer à décrochir des clous: je les paye déjà pour décrochir la cuisine avant qu'on pose des nouvelles portes d'armoire.

Non, c'est important remettre ça d'aplomb avant de faire d'autre chose, sans ça, tu te retrouves avec des portes d'armoire qui rouvrent tu-seules et là, tu t'exposes à des problèmes dont tu soupçonnes même pas l'existence!

Je trie des clous parce que je pense à mon père.
C't'un gars qui jetait rien, pis là j'me dis: s'il me voyait, il serait fier. Pis en même temps, ça me fait penser à des affaires qu'il me disait souvent, comme: *«Quand y a de quoi qui pète chez vous, panique pas, va pas tu-suite faire venir un réparateur au gros prix ou racheter du neuf à toué fois! Regarde chez vous dans les affaires que tu ramasses, des fois t'as tout ce qu'y faut pour te déprendre. Des fois, c'est juste un bout de* masking tape*, du* tape *électrique, du silicone, un boutte de broche, de la peinture antirouille, un morceau de tôle, des rivets, des vis, des clous... pas trop croches.»* T'sais, des affaires pleines de sagesse.

Trier des clous, c'est comme cirer mes souliers.

C'est comme sarcler mon jardin, pelleter ma cour l'hiver, laver la vaisselle: à partir du moment où mes mains «savent» tu-seules ce qu'y ont à faire, j'ai pus besoin de penser à ce que je fais, ça fait que là, j'en profite pour penser à d'autres choses.
Je tire des plans, je pense à un film, un roman extraordinaire ousse qu'y a un gars, une fille... pis la fille s'appelle pas Josée.

Je pense à un nouveau remède qui va sauver l'humanité, pis là, j'attends qu'y découvrent quelle maladie qui va avec...

Je deviens quelqu'un d'autre, je voyage dans l'espace, dans le temps...
Souvent, j'en profite pour régler mes problèmes de couple: je pars...

La place où j'aime m'installer pour trier des clous, c'est dans la cave, sur mon congélateur. C'est une bonne grandeur, c'est juste la bonne hauteur; je mets une vieille toile dessus pour rien cochonner. Je sors mes canisses, pis là, je trie des clous.

LÉGARÉ 2

Des fois, mon p'tit gars est avec moé, ça fait que là j'en profite pour faire avec lui ce que mon père faisait avec moi: j'y dis des affaires pleines de sagesse sur l'importance d'acheter tu-suite des pentures à *spring,* des affaires de même.

À droite, y a la litière du chat...
(IL APERÇOIT QUELQUE CHOSE.)
C'est là qu'elle est, la crisse de souris!
Une souris parfaitement comestible, pis tout ce que c'te chat-là trouve d'intelligent à faire avec, c'est de la sacrer dans sa litière. Des fois, on dirait que c'te chat-là réalise pas qu'y a des chats sur la terre qui ont rien à manger!

Là, y a mon p'tit gars qui me dit:
– *P'pa?*
– Oui?
– *Pourquoi que nous autres, on a un chat?*
– Parce que c'est moins de trouble qu'un labrador.

À gauche, il y a mon établi et, on en a justement un bon exemple présentement: sur mon établi, une paire de souliers que je veux prendre le temps de cirer.

Et là, y a mon p'tit gars qui dit:
– *P'pa?*
– Oui?
– *Pourquoi que toi, sur ton établi, t'as des souliers?*
– Aimerais-tu ça que ça soit ton papa à toi qui sauve l'humanité en découvrant le remède contre le cancer, l'Alzheimer ou le SIDA?
– *Oh oui!*
– Bon, ben c'est pour ça qu'y a des souliers sur l'établi.

– *P'pa?*
– Oui?
– *Je pense que j'sus dû pour retourner en haut, moé là.*
– O.K.

Je le regarde monter l'escalier, je vois qu'il est content.
Je continue à trier mes clous.

Et là, j'sais pas exactement comment ça se passe, j'imagine que ça doit être à partir du moment où mes mains savent tu-seules c'qu'y ont à faire, mais je m'adonne à regarder la litière: est disparue!
Je regarde mon établi, il est pus là.
Les souliers qu'il y avait dessus sont partis...
Je regarde en face de moi, et là, je vois...
... l'océan Atlantique.

J'suis rendu sur le haut d'une falaise, en Écosse.
La falaise de Longuetoune.
(SE REGARDE LES JAMBES.)
C'est la première fois que je me vois avec une jupe...
Sais-tu que ça me fait ben?
(RECULE UN PEU, SE RETOURNE, REGARDE «SOUS SON KILT», REVIENT.)
C'pas grave, j'vas m'arranger pour avoir le vent dans la face.

C'est toujours ici que j'me retrouve après que je me suis fait tuer à la guerre. C'est ici que je suis venu après qu'ils ont descendu mon avion pendant la guerre de Corée: jamais été capable de trouver les p'tites lumières rouges dans l'allée de c't'avion-là...

Avant ça: bataille des Ardennes.

C'te fois-là, j'avais sauté sur une mine et, avant de comprendre ce qu'y m'était arrivé, je m'étais complètement dispersé.

La fois d'avant, c'est pendant la Première Guerre mondiale.
Cette fois-là, ils m'avaient eu avec des gaz, en plein hiver, dans les tranchées. C'est là que j'ai compris le sens de l'expression «péter au frette».

Avant ça...
Avant ça...
1815, la bataille de Waterloo.

Waterloo...

Je m'en souviens, il mouillait ce matin-là.

Mais nous autres, ça nous dérangeait pas trop parce qu'on avait eu une température complètement pourrie dans la deuxième semaine des vacances de la construction, on commençait à être habitué.

C'était le 18 juin 1815, et il faisait frisquet.

Je me souviens qu'il faisait frisquet ce matin-là, parce que tout le monde de mon régiment passait son temps à me dire: «*Joyeux Noël*» parce que moi, je répondais toujours «Joyeux Noël», pis ça les faisait ben rire.

Tu vois, moi, à Waterloo, j'étais du côté des Alliés, contre Napoléon Bonaparte.

Pas le choix, si je voulais avoir le vent dans face.

Pis Waterloo, j'sais pas si vous êtes déjà allé, c'est comme une colline, pis nous autres, les Alliés, on était en haut de la côte, les Français de Napoléon étaient en bas, on les voyait très bien.

Un moment donné – il était quoi: 5 heures du matin? – je vois des mouvements dans les troupes de l'armée française.

Ça, ça faisait toujours rire mon chum quand je me regardais le poignet pour dire l'heure, parce qu'on était en 1815, la montre-bracelet était pas encore inventée, ça fait que j'avais rien dans le poignet.

Correction: j'avais le poignet dans rien.

Je dis à mon chum: «Regarde, regarde, regarde: *watch out,*[1] pour moé, ça s'en vient».

Effectivement, j'avais raison parce que, dans la minute qui a suivi, on a reçu l'ordre de tirer dedans au canon!

Là, ç'a a été écœurant, un vrai massacre. Même qu'à un moment

---

1.   Je parlais la langue des Alliés.

91

donné, je dis à mon chum:
– Ah! *fuck*[1], je pense que je viens de tuer mon ancêtre!

Mais on pouvait pas arrêter de tirer, parce que la veille, on avait eu un briefing stratégique par notre chef, le duc de Wellington, qui nous avait clairement expliqué qu'à la bataille de Waterloo, le bon Dieu était sur *notre* bord.

Le duc de Wellington, quel homme extraordinaire.
Est-ce qu'y en a d'autres ici qui l'ont connu?

Le duc de Wellington était un véritable visionnaire.
Eille! on est en 1815. Supposons que le duc de Wellington a besoin de quelqu'un de prestigieux pour galvaniser son monde.
Oublie Jean-Luc Mongrain, oublie Marie-Soleil Tougas:
déjà en 1815, le duc de Wellington fonctionnait exactement comme les Américains fonctionnent aujourd'hui quand ils veulent gagner une guerre, une médaille d'or aux Olympiques ou un Oscar à Hollywood:
Dieu, direct!

Ça fait qu'arrêter de tirer sur le gars qui est en face de toé quand c'est le bon Dieu qui te pousse dans le cul, tu peux pas.

N'empêche qu'à la fin de la journée, c'était fini.
La bataille de Waterloo était finie, l'armée française était finie, la Garde impériale de Napoléon, la magnifique Garde impériale était finie, Napoléon Bonaparte était fini.

Là, ils ont amené l'empereur Napoléon Bonaparte, et c'est là que j'ai vu Napoléon Bonaparte de proche pour la première fois
et j'ai été déçu.
J'ai pas été déçu parce que Napoléon était petit: je savais déjà qu'il était pas tellement grand: j'ai vu le film avec Rod Steiger.

Ce qui m'a déçu, c'est quand je l'ai vu vraiment de proche, j'ai remarqué que, ici (COMMISSURE GAUCHE DE SA

---

1.   Je parlais vraiment très bien la langue des Alliés.

BOUCHE), il avait une tite affaire qui ressemblait à des carottes et des navets mélangées ensemble dans des patates pilées. Ça m'a déçu.

J'entends la voix de ma femme qui dit:
– *Pierre! Le souper est prêt!*

Serre les clous que j'avais pas fini de trier, replace les canisses sur l'établi, met toute ça propre comme c'était, pars à la course dans l'escalier pour aller souper...

Ah *fuck,* j'ai encore oublié... mais là, y a ma main qui me dit:
– *Pas de problème, quand j't'ai vu partir d'in marches, j'ai pensé que t'oublierais d'éteindre ta lumière, j'ai dit à ton doigt d'accrocher le* piton *en passant. C'est faite.*
(À SA MAIN)
– Merci.
– *De rien.*
(À SON MAJEUR)
– Merci toi aussi.
– *Ah moé, j'ai pas de mérite: c'est ta main qui me l'a dit.*
– O.K.
– *Euh, Pierre?*
– Quoi?
– *On se revoit à soir, nous deux?*
– Oui, oui.

Arrive en haut: mon p'tit gars est déjà à table, mais là, il veut pas manger ses patates parce que dedans, ma femme a pilé des carottes pis du navet, toute mélangés.
Et là, elle insiste pour qu'il en mange pareil, elle dit que c'est bon pour sa santé, que c'est plein de vitamines là-dedans, qu'y a des p'tits enfants s'a terre qui ont rien à manger, elle arrête pas, moé je dis:
– Non! Non! Tu peux pas faire ça! Veux-tu qu'il perde la guerre?

Elle a rien compris: deux planètes.

Regarde avant-hier: elle avait fait souper les enfants plus de bonne heure. Elle me dit:
– *Pierre, on va aller souper juste tous les deux, ça va nous faire du bien. C'est toé qui choisis où on va...*
– O.K.
– *... mais c'est moé qui chauffe: j'ai pas l'idée qu'on soupe juste demain...*
– Hm-hmm...

À un moment donné, je l'entends qui me dit:
– *Pierre, as-tu ta montre? Quelle heure qu'il est?*
– Une heure du matin...
– *Une heure du matin?*
– ... à Waterloo.
– *Ç'a pas d'allure: ça fait au-dessus d'un quart d'heure qu'on est ici, accotés au comptoir à attendre après deux cheeseburger-bacon, Pierre. C'pas juste nous autres: le restaurant est plein de monde qui attendent eux autres aussi, Pierre.*
– Hm?
– *Pierre, voudrais-tu te rendre compte de ce qui se passe ici, s'il te plaît?*
– Hm-hmm...

Moi, j't'en train de regarder le gars des hamburgers.
Lui, y est mélangé.
Y a oublié de revirer une boulette, la boucane sort de dedans, mais ça, il le voit pas, parce que là, y est en train de demander à la femme qui est à côté de moé, ce qu'elle veut dans ses *Pogo*. Mais elle, ça fait 3 fois qu'elle lui dit que c'est des doigts de poulet qu'elle a commandés!

Le feu prend dans la boulette!
Le détecteur de fumée vient de partir, les gicleurs avec:
les hamburgers sont sous la douche!
Quel beau film!

Le héros principal se retourne, y voit ce qui arrive, y se précipite pour essayer de régler ça, il se brûle, quelqu'un en arrière de moé qui crie: «*Coudon, ton boss est-tu icitte? Va donc le chercher qu'y te crisse à porte!*»

Je crie au gars des boulettes:

– Occupe-toé pas de lui, on sait même pas son nom: c'est juste un figurant!

C'est peut-être un poète, c'te gars-là.

C'est peut-être notre plus grand romancier, c'est juste qu'y a pas encore commencé à écrire.

Peut-être qu'y a inventé un remède qui va sauver l'humanité, c'est nous autres qui a pas encore découvert la maladie qui va avec,

c'est juste que, pour tu-suite, ses mains savent pas faire les hamburgers tu-seules...

Je dis à ma femme:

– Te rends-tu compte de ce qui se passe icitte? Regarde c'te gars-là, y est peut-être en train d'essayer de régler ses problèmes de couple, pis le monde qui est en arrière de nous autres, qu'ossé qu'y ont trouvé d'intelligent à faire pour l'aider? Ils gueulent après! J'ai pus faim, moé. Sais-tu comment j'ai l'estomac présentement? Coudon, m'écoutes-tu?

– *Oui, Pierre, là, j't'écoute parce que là, tu me parles de ce que tu vis.*

– Non, là, ce que j'essaye de te dire...

– *Ce que moi, je veux te dire, c'est que je t'aime. Viens, on va se trouver une autre place pour être juste tous les deux, viens...*

– Non, attends, je peux pas, pas tu-suite, je veux savoir si y a d'autres bobos ailleurs!

DEUXIÈME PARTIE

(IL ENTRE EN JOUANT DE LA CORNEMUSE, TERMINE.)
Jouer de la cornemuse, c'est comme trier des clous, ça fait...
partir.

Ça permet aussi de découvrir que t'as des voisins sensibles.
Les miens m'envoyent la SPCA deux fois par semaine, parce
qu'ils sont sûrs que j't'après étrangler mon chat.

La meilleure place pour pratiquer, c'est dehors, dans la cour en
arrière.
Excepté à l'automne, pendant la saison de la chasse.
Dans ce temps-là, je pratique dans la cave.
C'est parfait: mon chat se sert pus de sa litière depuis ce
temps-là.

J'ai parlé à ma femme de ce que je vis quand je joue de la cornemuse, comment ça me fait partir...
Et je pense que ça a rapproché nos deux planètes, parce qu'elle
m'a dit que quand elle m'entend jouer, elle aussi, ça lui donne le
goût de partir.
(VA DÉPOSER LA CORNEMUSE.)

Avez-vous remarqué comment on est toute en train de faire disparaître les affaires qui font partir?
Je le sais pas pour vous autres, mais chez nous, le printemps
passé, ils nous vendaient les graines aussi cher que les légumes
pour pas qu'on se fasse de jardin. Ils ont inventé des souffleuses à
neige électriques pour mes deux marches de galerie, ils font des

souliers déjà vernis pour pas qu'on puisse les cirer...
Moé, je les cire pareil...

Là, ils doivent être en train de penser à un tapis à batteries. Ben vite, tu vas rentrer chez vous, t'auras même pus besoin de t'essuyer les pieds.

On n'a pas le choix de faire disparaître ces tâches-là qui font partir, parce qu'on a décidé, on sait pas quand, pis on sait pas où, mais il paraît qu'on a décidé, tout le monde, qu'on voulait devenir toujours de plus en plus productif, et la seule manière de devenir de plus en plus productif, c'est en devenant plus efficace, pis, pour être plus efficace, de devenir plus spécialisé, pis, quand t'es spécialisé, t'as pus de temps à perdre avec des tâches qui font partir.

Remarque que, d'une manière, la spécialisation ça permet quand même des choses extraordinaires.
Ça te permet d'avoir tu-suite ce que tu pourrais jamais avoir autrement.
Je le sais pas moi, faites juste imaginer que je déciderais de me fabriquer quelque chose moi-même... j'sais pas, là, quelque chose de ben...
Ma montre, tiens! Imaginez juste que je voudrais me faire moi-même ma montre.

T'sais que j'en ai pour la vie?

Il faut que je creuse une mine avec mes doigts, il faut que j'extraie le minerai de là-dedans, que j'extraie le métal du minerai, faut que je le fasse fondre sur un feu que j'ai parti moi-même en frottant deux bouts de bois, pis là, si jamais je me ramasse avec une température comme celle que j'ai connue à la bataille de Waterloo, ça peut être très long avant que ça finisse par allumer.
Et après que j'ai toute fait ça, j'ai juste le métal pour faire ma montre, mais ça fait déjà 4 ans que j'suis mort.

Mais non.

Grâce à la spécialisation, aujourd'hui, je peux m'acheter une montre pour, combien: 6 piasses? l'équivalent d'une heure de travail au salaire minimum.

J'ai pus besoin d'un feu de camp: j'ai un thermostat, j'ai un poêle électrique. J'ai pus besoin de descendre à la rivière chercher de l'eau, j'ai un robinet, je tourne ça, ça coule.
J'ai même pus besoin de marcher: j'ai une auto.

Mais justement, là il se passe quelque chose qui marche pas.
Parce que là, logiquement, je devrais avoir à moi toute le temps que mes ancêtres étaient obligés de consacrer à ces tâches-là: j'sus pas obligé de les faire.

Mais les heures que ça me laisse, je les ai pas, parce que pour devenir toujours de plus en plus productif, j'ai décidé à place de travailler toujours plusse, en *checkant* sur ma montre à 6 piasses pour être ben sûr que je perds pas de temps.

200 000 ans d'évolution de l'espèce humaine pour se ramasser de même. Comment ça se fait?
Je le sais pas.
Faudrait demander à quelqu'un de spécialisé...

Avez-vous regardé les Olympiques à la télévision, le mois passé? Y a une chose qui m'a frappé aux Olympiques et qui m'avait déjà frappé à l'été 92 à Barcelone: comment ce que les athlètes sont rendus spécialisés. Ç'a pas de bon sens.

Prends juste le gars qui court le 100 mètres.
Ça fait 4 ans qu'y s'entraîne, c'te gars-là.

Pendant 4 ans, on y fournit un gymnase, des *runnings,* une camisole, des shorts, on y fournit un entraîneur, un physiothérapeute, un pharmacien...

Ils finissent par annoncer des Jeux. On l'embarque d'in avion, on embarque toute sa gang avec lui, on leur paye l'hôtel, les repas, les *jackets* pour *matcher*, on y paye une paire de *runnings*

neuves, pis un autre gymnase pour s'entraîner.
Arrive enfin le jour de la compétition: y court 100 mètres, y a
fini.

Tu te dis: Le temps qu'y est là, y pourrait s'essayer, j'sais pas
moi, dans le 5000 mètres... 1000 mètres... 400 mètres...
Non.
Lui, c'est 100.
Essaye-le même pas dans le 200 mètres, à moins d'y mettre une
chaise, parce que lui, après 100 mètres, il s'assit.
Il est spécialisé.

Qu'osse qu'y ont toute à être spécialisés de même?
Le gars qui court le 100 mètres-haies, vous l'avez déjà vu, lui: il
part, il court, il saute, il court, il saute... Pourquoi que, rendu au
boutte, y s'essaye pas au saut en hauteur: ça fait 20 fois qu'y se
pratique, là!

Ou le lanceur de javelot: pourquoi qu'on y en donne pas un, juste
un peu plus long, pis là on y dit: «Regarde ben, tu t'en sers pour
sauter à la perche, rendu l'autre bord, tu le tires. O.K.? Go!»

Je le sais que, dit de même, ç'a l'air niaiseux, mais un gars qui
court deux heures de temps sur un terrain de soccer, ce gars-là est
capable de courir le marathon: ça prend ça, 2 heures!
– *Non, moi, monsieur, c'est le soquère.*
– Écoute, on va te donner un ballon, tu le pousseras en même
temps. Essaye!

Ça va continuer dans le même sens, les athlètes sont comme
toute nous autres dans la vraie vie: ils vont devenir hyper-
spécialisés.
Aux Jeux olympiques de l'an 2008, y vont avoir rajouté quoi
comme compétition: le *Nintendo?*

Tu vas voir arriver l'athlète spécialisé en *Nintendo:* 6 pieds et 1,
43 livres.

Lui-même, y pèse juste 40 livres, mais les deux pouces qui pitonnent, sa manette du *Nintendo*...

Aux Jeux olympiques de l'an 2016, le *Bungee*.
L'athlète spécialisé en *Bungee*: 9 pieds et 7, la tête plate, commandité par une compagnie de clous.

Avez-vous remarqué une autre chose: la spécialisation aux Olympiques, c'est plus aux Jeux d'été qu'aux Jeux d'hiver, avez-vous remarqué ça?
Aux Jeux d'hiver, le hockeyeur olympique, y est récupéré par la Ligue nationale; le patineur, y est récupéré par le *Ice Show*.

Aux Jeux d'été, t'as pas ça.

Je l'sais pas, notre lanceur de javelot, tiens: pourquoi qu'on l'essayerait pas, lui, comme receveur pour les Expos; les frappeurs d'Atlanta, ils y penseraient peut-être avant d'essayer de voler le deuxième but...
Hey!
Yeah, you! Go Back to first base!
I said: Go back![1]
Eille! le cave, regarde ce que j'ai dans main, icitte!

Non, on verra jamais ça: lui, y est spécialisé en javelot.
Il est capable de lancer un javelot, mais y est pas capable de lancer ni un disque, ni un poids, ni un marteau olympiques: il est pas capable de lancer une balle.

Lui y est capable de comprendre une affaire à la fois:
le ja-ve-lot.

Il est spécialisé, comme on est toute rendus spécialisés.

– Es-tu mécanicien?
– *Moi, j'sus spécialisé en alignement de traction avant sur*

---

1. La plupart des joueurs de baseball parlent la langue des Alliés.

modèle avec turbo.
En bon français: pas capable de changer un *wiper.*

– Connais-tu ça, les ordinateurs?
– *Moi, j'sus spécialisé en holographie couleur sur réseau.*
– T'es comme moé: sais juste comment la sortir de la boîte.

– Es-tu médecin?
– *Moi, je suis spécialisé en division intracellulaire sous micro-gravité.*
Pis quand y a le rhume, y fait comme moé: y morve.

Une nageuse synchronisée qui a déjà le nez bouché, est-tu obligée de mettre la p'tite *clip de rubber* pareil?

Pendant une compétition de natation, y iraient-tu plus vite, si on leu' faisait jouer la toune du film *Les Dents de la Mer*?

La juge brésilienne qui a privé Sylvie Fréchette de sa médaille parce qu'a s'est fourrée de *piton,* est-tu capable de programmer un vidéo, elle?

C'est supposé que la pratique du sport améliore la vie sexuelle. Mais un gars qui est capable d'avancer de 100 mètres en moins de 10 secondes, ça y prend combien de temps quand y a juste à avancer de 6 pouces?

Les athlètes sont spécialisés pour la même raison qu'on l'est toute rendus dans notre société: augmenter la productivité.
Avec le même résultat aux Jeux que dans notre société:
un qui travaille pour 10 qui le regardent.

Le 30 juillet c't'année, je pense que je me suis retrouvé devant un ancien lanceur de javelot. Y était rendu commis dans un magasin.
Et moé, jusqu'au 30 juillet, j'étais sûr que j'tais capable d'aimer tout le monde sur la Terre...
En tout cas, si c'est pas un ancien lanceur de javelot, j'peux vous

garantir de quoi: lui, y est capable de comprendre juste une affaire à la fois.

J'y en veux pas, parce que grâce à lui, je me suis rendu compte qu'y a des phrases de commis de magasin que j'peux pus entendre.
Un exemple de phrase de commis de magasin que j'peux pus entendre: «*C'est supposé de marcher.*»
J'ai une piscine, moi.
Pour la visite...
Et je vous jure, je suis personnellement le genre de gars qui suit les instructions à la lettre, pareil comme un bébé canard suit sa mère, même les instructions traduites de l'anglais au français par un Coréen.

J'ai tout mis dans c'te piscine-là ce qu'y m'ont dit de mettre: du chlore, de l'algicide, du PH, du floculent, du traitement choc, de la *p'tite vache,* des pilules, de la poudre, de l'acide!

On est rendus au 30 juillet, l'eau de ma piscine est pas regardable.
A bouille.

Je retourne au magasin, le commis me dit:
– *T'as-tu fait tes deux* backwash?
– J'en ai fait 24.
– *As-tu pris ton test le matin?*
– Tous les matins depuis la fête des Mères.
– *As-tu frotté avec le produit que j't'ai donné?*
– J'ai frotté, j'ai gratté, j'ai «scrépé», j'pense que j'ai sablé ma toile: je commence à voir ma cave au travers.
– *T'as fait ça avec le produit que je t'ai donné?*
– Vous me l'aviez pas donné: vous me l'aviez vendu.
– *Ah ben, c'est supposé d...*
– Ben oui: «C'est supposé de marcher.»
– *Non écoute, je dis pas ça pour te baver, là. Mais dans mon*

cours que j'ai suivi...
Dans son cours ça marchait, dans ma cour, ça marche pas.

Une autre que j'pus capable d'entendre: «*Ça fait combien de temps que tu l'as?*»
Y existe des choses pour lesquelles le temps depuis lequel tu l'as, c'est un facteur très important. Exemple: du steak haché, 6 ans.
Mais un BBQ au gaz propane qui chauffe pas assez chaud, que ça fasse 2 jours, 2 semaines, 2 mois ou même 2 ans que tu l'as, soyons logiques:
le propane, ça vient des dinosaures: 400 millions d'années;
la pierre de lave qu'y mettent là-dedans: 4 milliards et demi d'années.
Qu'y viennent pas me dire que 2 semaines de plus, ça va faire une différence!

Une autre que j'peux pus entendre: «*Y a rien.*»
Je fais poser 4 pneus neufs sur mon auto. Je les fais balancer, je fais vérifier l'alignement: test sur la route.
À 90 kilomètres à l'heure, le volant de mon auto devient schizophrène.
Lui, y est convaincu que, dans une vie antérieure, il travaillait dans une quincaillerie comme malaxeur à peinture.

Ramène l'auto, fais tout revérifier, deuxième test sur la route, je reviens.
– *Pis?*
– Écoute, j'sais pas si la schizophrénie du volant, c't'une maladie transmise mécaniquement, mais si jamais t'as quelqu'un qui te demande à quoi ça ressemble faire du ski nautique sur un chemin de fer, enwoye-moé-lé, je l'sais.
– *C'pas un problème, on va le mettre sur ma machine électronique.*

Il branche toute son affaire. Là, c'est moé qui y dis:
– Pis?
– *Y a rien.*

106

– Ben woyons, c'est impossible: y *shake* encore!

– *Écoute, je l'ai mis sur ma machine électronique. Tu le voés comme moé: regarde les cadrans icitte, les trois p'tites lumières, l'autre cadran: y a rien.*

– «Ta machine électronique»... Combien ça fait de temps que tu l'as?

Une autre: *«L'as-tu pris icitte?»*

– Je m'en souviens pus, mais il me semble que ça doit pas être si important que ça, c'est la marque que vous annoncez sur le devant de votre magasin: 16 pieds de long par 4 pieds de haut.

– *Ouaille! mais c'est parce que nous autres, celles que nous autres on vend icitte, nous autres, nous autres y vont bien parce que nous autres, on fait pas juste les vendre, nous autres icitte, en plus, on les répare.*

– Ah bon! Ça fait-tu pas mal que vous réparez?

– *Ah! Monsieur! 800? 1000?*

– 1000 que vous réparez... Y a pas à dire, y vont bien...

Une autre que je suis pas capable d'entendre: *«Ça sert à rien.»*

– Eille! mon trouble, ça peut-tu être c'te morceau-là?

– *Non, ça, ça sert à rien.*

Comment ça se passe dans cette compagnie-là, donc?
J'imagine qu'y a un gars, il s'appelle... Bruno. Et malgré la récession et la très forte compétition, Bruno est payé 38 $ de l'heure, temps et demi après 40 heures, temps double les fins de semaine, plus les bénéfices marginaux, pour poser un morceau importé qui revient à 122 piastres U.S. plus la douane et l'accise et ce morceau sert strictement...
à rien.

Une autre dans le même genre: *«Ah, ça, c't'un trouble normal.»*

Y a un autre gars, il s'appelle... Jacques.
Lui, il est payé 56 $ de l'heure, temps et demi après 40 heures, temps double les fins de semaine, plus les bénéfices margi-

naux. C'est beaucoup plus que Bruno, mais attention, Jacques a beaucoup plus de responsabilités que Bruno. Jacques doit s'assurer, qu'avant qu'y sortent de l'usine...
y ont toute le trouble normal.

Une autre que je peux pus entendre: «*Qu'ossé que t'as faite avec?*»
– C't'une perceuse! Qu'ossé que tu penses que j'ai fait avec: laver des vitres? Pelleter ma cour?
– *Tu t'en sers-tu pas mal?*
– Je le sais pas, y ont-tu fait un modèle pour ceux qui s'en servent jamais?

Un moment donné, j'me dis:
Bon, O.K., ça m'a l'air que c't'eux autres qui ont décidé de la *game,* parfait: m'a jouer selon leurs règlements, et, avant d'acheter quoi que ce soit, je commence par aller voir le commis, pis là, j'y dis:
– O.K., qu'est-ce que vous, vous me conseillez d'acheter?
– *Tu veux avoir mon opinion personnelle à moé, boss?*
Achète ça. Avec ça, capitaine, tu te trompes pas.
– C'est bon, ça?
– *Ça, chef, c'est ce qui s'est fait de meilleur depuis que la Terre existe. C'est ce que personnellement, l'frère, j'appelle ma Cadillac, mon* top of the line, *mon* best in the west. *Trust-moé là-d'sus l'grand: avec ça, tu te trompes pas.*
– Là, on s'comprend bien, là: ça, c'est vraiment ce qu'y s'est fait de meilleur dans... toute l'univers, là!
– *Dans toute l'univers... et peut-être même ailleurs.*
Là, tu vas mettre une affaire tu-suite dans ta tête, Big: t'achètes ça, c'est permanent, c'est définitif, c'est éternel, c'est pour ta vie.
– C'est vraiment bon pour tout le temps, ouaille?
– *J'ai des clients, ça fait 3 qu'y rachètent.*

Des fois, quand une affaire de même m'arrive, des fois j'aimerais ça leur répondre.

Mais moé, quand ça va mal, j'aime pas ça, gueuler.
Je le sais pas, j'ai pas le caractère que ça prend.
Moé j'aime mieux... trier des clous.

Les caractères de chien... Ah...
Les caractères de chien, eux autres, quand ça marche pas à leur goût, m'a te dire de quoi: y partent pas, eux autres.
Eux autres, y gueulent, pis ça finit par se régler, icitte, pis tusuite.

Mon voisin!
Lui, y a jamais de trouble avec sa piscine.

Lui, ce qu'y fait, c'est simple. Au printemps, y fait venir le commis chez eux, pis là, y dit:
– *Tu voés-tu l'eau de ma piscine, de quoi-ce qu'a l'air, Big? Bon, ben fais de quoi, sans ça t'a boés!*

Quand je pense que j'ai passé mon enfance à essayer de me développer un beau caractère...
Les caractères de chien, c'est peut-être eux autres qui font progresser l'humanité!
T'es dans quelque chose, pis ça marche pas. Ceux qui gueulent, ceux qui chialent tout le temps, pis qui écœurent tout le monde: un moment donné, on finit par le changer, ce qu'y a qui marche pas.
Quand même que c'est juste pour leur farmer la gueule.

(SON ATTENTION EST ATTIRÉE PAR UN SPECTATEUR.)
Je dis pas que c'est nécessairement eux autres qui font le changement qu'on souhaite, mais souvent c'est à cause d'eux autres qu'on finit par le faire, pis si on réfléchit, au bout de la ligne, c'est peut-être...
(S'INTERROMPANT)
C'est-tu des lunettes de myope que vous avez?
Moi aussi, je suis myope. Avez-vous déjà remarqué que nous autres les myopes...

(AU RESTE DE LA SALLE)
Vous pouvez écouter quand même.
(REPRENANT, AVEC LE SPECTATEUR)
...que nous autres, les myopes, on est plus accrochés sur les détails que les autres personnes?
Avez-vous déjà remarqué ça?

Moé, quand je suis une auto, il faut que je sois capable de lire le la plaque. C'est-tu comme ça, vous aussi?

Les p'tites écritures en haut pis en bas des plaques américaines, ça c'est effrayant. Mardi passé, en descendant à Québec, j'ai pris la sortie de Saint-Cuthbert...
...pour finir de lire la plaque du char en avant de moé:
«New-Hampshire, Live free or die».

Des fois je me dis: c'est à cause de ça qu'on est myope, nous autres: accroché sur les détails, l'œil est toujours contracté pour être sûr de rien manquer. Un moment donné, woup, il *jamme* là: t'es myope.

D'autres fois, je me dis: non, c'est peut-être le contraire.
Peut-être qu'avant même que je vienne au monde, c'était déjà inscrit dans mon code génétique: lui, il va avoir les yeux bleus, y va avoir un grand nez, pas de cheveux, et il va être myope.
Et là, vu qu'à 10 pieds tu vois toute embrouillé, tu choisis de te concentrer sur les détails que t'as devant la face.

On devient-tu myope parce qu'on accroche sur les détails, ou si on accroche s'es détails parce que, déjà, on est myope?
Je le sais pas.
Faudrait demander à quelqu'un de spécialisé.

Ma T.V. est myope. C'est-tu comme ça, vous aussi?
Ma T.V. est myope. Surtout aux nouvelles.

Il se présente une grosse nouvelle; tu voudrais essayer de comprendre, savoir de quoi ça dépend, comment c'est arrivé exactement, oublie ça: tout ce qui intéresse ma T.V. aux nouvelles, c'est les détails.

En même temps que je vous parle de ça, c'parce que j'essaye de trouver un exemple qu'on a tous très bien connu...
O.K., je l'ai.
L'accord constitutionnel de Charlottetown.
Y nous ont écœurés avec ça pendant combien de temps: 3 ans?
Tous les soirs. Dans le détail.
Et pourtant moi, quand j'ai fini par comprendre c'était quoi, c'te nouvelle-là, j'me sus rendu compte que c'était une nouvelle d'à peu près 11 secondes.
Pas 3 ans, 11 secondes.

«Ceux qui étaient contre l'entente disaient que c'était trop chèrement payé; ceux qui étaient pour, disaient que si on signait pas ça, c'est là qu'on était pour payer; mais pendant ce temps-là, eux autres, y ont pas arrêté de se réunir deux fois par semaine pendant 3 ans pour en parler, pis eux autres, y sont très bien payés.»
11 secondes.

C'est la même nouvelle depuis quand? 3 ans? 20 ans? 126 ans?
Mais ma T.V. est myope. Elle s'est sentie obligée de m'en parler pareil toué soirs dans les détails. Y a rien que ça qui l'intéresse.

La crise autochtone. Été 90.
Un été complet de T.V., *scrappé* par des détails.
Pis, c'était pareil: rien de nouveau, plein de nouvelles.

Un soir, j't'en train de souper, ils annoncent un bulletin spécial.
J'me dis: «Bon, enfin, y s'est passé de quoi!»

C'était pour nous dire:
que le soldat qui avait reçu un coup de mocassin d'Amérindienne dans les joints universels, était encore capable de faire des enfants;
y avaient entendu une voix non identifiée crier *Fuck you*[1] trois fois dans la veillée;

---

1. Les autochtones parlent très bien la langue des Alliés.

et Lasagne avait décidé d'enlever son foulard pour se moucher dedans. Mais quand c'était arrivé, les caméras étaient arrêtées, ils avaient pas d'images à nous montrer.

Des détails.

Moé, le soldat qui réussit à rester planté deboutte sans bouger devant Lasagne, c'pas ça que je veux voir.

Moé, ce que je veux comprendre, c'est:
comment ça se fait que sur c'te terrain de golf-là, les taxes pis la Sûreté du Québec peuvent pus rentrer,
mais le Bien-Être Social et les subventions peuvent encore.

Y doit y avoir une raison.
Faut qu'y ait une raison, probablement une excellente raison, à part de ça.
Mais je la sais pas. Pis je la saurai probablement jamais, parce que tout ce qui intéresse ma T.V., c'est les détails.

Mais à force de toujours accrocher rien que sur les détails, ce qui t'arrive un moment donné, c'est que tu viens que tu perds ta perspective.
Perdre sa perspective, vous savez ce que ça veut dire?
Perdre sa perspective, ça, c'est comme:
oublier où tu voulais aller quand t'es parti,
de sorte que quand t'es arrivé, tu sais pas que t'es rendu.

Ça, c'est pareil comme un gars qui se lève un matin, pis y s'aperçoit qu'y a une lumière en arrière qui est *lousse* sur son char.
Il se dit:
– Y a rien là, je vas la refixer.
Y prend son tournevis et là, il s'aperçoit qu'y a pas la sorte de vis exprès que ça prend. Il se dit:
– Pas grave, mon père m'a déjà dit des affaires pleines de sagesse, moé, j'sus capable de me débrouiller: *masking tape*.

Y met un p'tit peu de *masking tape* alentour de ça...
L'humidité fait décoller le *masking tape*.
– Pas grave, j'ai du *tape* qui résiste à l'humidité : *tape* électrique.

Trois rangs. Tins Monsieur, là, c'est réglé.
Là, c'est la chaleur de la lumière qui fait décoller le *tape* électrique.
– M'a y régler son cas : silicone.
Fais-moé confiance, ça colle toute.

Y tire un beau joint de silicone... Tiens, Monsieur !
À c't'heure, juste *checker* si ça tient...
Ça tient très bien.

Bon, O.K., ça bouge un peu, là, mais ça, c'est normal, c'est vendu pour ça, le silicone : ça reste tout le temps flexible.

Mais c'pas grave, j'ai tout ce qu'y faut icitte, r'garde-moé ben.
Tins.
Je le gardais justement pour des affaires de même : un boutte de broche.
M'a juste la passer alentour... une couple de tours... juste pogner mes pinces pour la *twister* comme il faut à c'boutte icitte pour la durcir...
Voilà !
Là, non seulement ça tient bien, mais en plus, c'est dur.
C'est réglé.

Trois jours après, la broche est rouillée.

– *No problemo :* peinture antirouille !
Fuck !

Là, fouille-moé pour savoir ce qui vient de se passer, y a rien d'écrit s'a *can,* ça doit être une espèce de réaction chimique à cause de la peinture : les deux rangs de *tape,* pis le silicone viennent de friser, là, ç'a l'air du diable.
Attends un peu, je laisserai pas ça de même...

Tôle.
Non, r'garde ben ce que fais: j'pars de ma lumière, j'm'en viens
à rien sur mon aile, j'fais suivre mes deux tôles ben égales toué
deux et ça paraîtra même pas.

Là, le gars réalise qu'il a rien pour souder.
– Pas grave: perceuse.
J'en ai acheté une autre.
Et là, ce que je vas faire, c'est très simple: je vas tout simplement
percer des trous, à travers les deux épaisseurs de tôle et, dans ces
trous-là, j'vas tout simplement mettre des rivets.
Et c'est très solide: les moteurs d'avion tiennent de même!

Le gars fouille dans ses gugusses...
– Woyons, j'ai pus ça, des rivets, moé?
Ah ben c'pas grave, je l'sais ce que j'vas faire: m'a y mettre des
vis. T'sais qu'une vis ben serrée...

Et la vis qu'y met,
c'est exactement la sorte de vis qu'il lui fallait avant qu'y
commence.

Mais ça, il l'a oublié.
Lui, y s'est accroché aux détails.
Il est rendu myope.

Et là, son char a l'air du mien.

Me semble qu'avant, le monde était moins myope.
J'sais pas, tu regardes des photos qui ont été prises en 1900: y a
jamais personne qui a des lunettes, là-dessus.

Je dis pas qu'y a un rapport, mais dans ce temps-là, le monde
avait moins de nouvelles.

De sorte que quand eux autres, ils avaient des nouvelles, laisse-
moé te dire que c'étaient des nouvelles qui comptaient.

J'sais pas, moi: prends dans le temps de nos ancêtres.
Le gars partait de la France, y venait passer 2 ans au Canada avec

Jacques Cartier; ses 2 ans étaient finis, y s'en retournait chez lui et, de retour chez lui, y apprenait par sa femme que dans les 2 ans qu'y avait été parti, y avait eu 3 petits et y voyait très bien qu'y en avait un 4e en chemin.

Moé, je l'sais pas,
mais il me semble que ça, comparé à une astination de 500 millions, sur un bout de papier dont y ont discuté deux fois par semaine pendant 3 ans, et que personne encore aujourd'hui comprend pourquoi y ont fait ça au lieu de régler nos vrais problèmes de récession, de chômage, pis de faillites, même si ma T.V. m'en a parlé tous les soirs dans le détail,
moé je l'sais pas,
mais il me semble que ça,
comparé à ça,
pour c'te gars-là, ça, c'était une nouvelle.

On n'a pus de perspective.
La télévision nous annonce 6 sortes de dentifrices, dont 2 à triple action et une recommandée par l'Association dentaire canadienne; ils annoncent 5 sortes de rince-bouche, une qui goûte pas bon: celle de l'oncle Georges, 3 sortes de brosses à dents, une nouvelle qui plie par le milieu, l'avez-vous vue? – ça c'est pour les gars de mon âge – tout ça pour prévenir les caries.

J'ai parlé avec mon dentiste, moé: les caries, ça se forme dans les dépôts alimentaires qui restent *jammés* dans les racoins du fond, entre deux dents, et la seule manière de prévenir ça, c'est avec de la soie dentaire.
On a-tu déjà vu juste une annonce de soie dentaire à la télévision?

Ils annoncent j'sais pas combien de peintures, de teintures, de vernis, de finis, de scellants hydrofuges... Pourquoi qu'y annoncent jamais de pinceaux pour les mettre?

Dans les annonces de Pepsi, c'est pas la caisse qu'y nous montrent, c'est la bouteille.
Pourquoi que dans les annonces de condoms, on les voit jamais?

La télévision fait des annonces pour le monde qui développe des caries en plein milieu des palettes en avant, qui peinturent avec leurs doigts et qui portent leur condom dans le sachet.

Pour me protéger contre les MTS, j'tu mieux d'utiliser un condom ordinaire ou un condom *Shields* qu'y m'annoncent qu'y a été testé onze fois avant que moi, j'm'en serve?

Les *Boeing 747* en plastique à coller, pourquoi que sur le côté de la boîte ils se donnent le trouble d'écrire: «Modèle réduit»?

V'là 2000 ans, si les Chinois avaient envahi la Judée au lieu que ça soit les Romains, le Christ aurait pas été crucifié, il aurait été empalé. Qu'ossé qui aurait été notre signe de croix?

Quand ma femme m'envoie à l'épicerie pour acheter de la crème sûre, pourquoi qu'elle me dit tout le temps: «Vérifie la date»?

Quand je reçois un fax, y a toujours une feuille de transmission de fax qui me dit quoi faire si j'ai pas tout reçu. Qu'est-ce que je fais si c'est elle que j'ai pas reçue?

Un *gogo-boy* qui a manqué d'eau chaude en prenant sa douche avant d'aller travailler, il fait-tu moins d'argent dans la première demi-heure?

Le monde qui gueule contre ceux qui vont pas à la messe, y savent-tu que Jésus-Christ est jamais allé à la messe?

Quelqu'un qui est allé en Thaïlande, pis qui me rapporte un souvenir, quand moé je le regarde, je suis supposé de me souvenir de quoi?

Ça se peut-tu, un sourd-muet qui bégaye avec ses mains?

L'Opération Nez Rouge, ils vont me reconduire chez nous avec mon char. Si j't'à pied, ils mettent-tu mes bottes?

La compagnie *Sony,* quand ils me montrent que leur image est meilleure, ils le savent-tu que j't'après la regarder dans ma *Hitachi*?

Le vin qui se boit à la température de la pièce, qu'est-ce que je fais si j't'en pique-nique?

Ils ont sorti la *Dry,* la *Légère,* la *.5,* la *Draft,* la *Ice*; pourquoi qu'y font pas de la bière *.08*?

À Los Angeles pendant le tremblement de terre, ceux qui avaient le Parkinson, y ont-tu pensé qu'y étaient guéris?

Quelqu'un qui a assemblé beaucoup de modèles réduits quand il était jeune, à quoi il pense quand il entend le pilote annoncer que l'avion va «décoller» dans deux minutes?

Moi, c'est de ça que j'ai besoin de ce temps-là: une vision, une vision moins myope de tout ce qu'y veulent nous vendre, de tout ce qu'y disent, de tout ce qu'y nous annoncent, de tout ce qu'y nous promettent, de tout ce qu'y nous déclarent.
Une vision.
Moins myope.

Nos ancêtres avaient de la vision.
Eille! replacez-vous icitte, aux débuts de la colonie...
Eille! il fallait avoir de la vision.

Aux tous débuts de la colonie, ici, t'as:
83 Jésuites,
74 Ursulines,
un gars qui passe la moppe.

Ce gars-là, c'est le seul célibataire masculin disponible ici dans la colonie.
Il a eu la variole, la p'tite vérole, la varicelle, la rougeole, la rubéole, la scarlatine, il a eu le scorbut: il lui reste juste 2 dents dans la bouche.
Pis, y a un dépôt alimentaire de *jammé* entre les deux.

Riez pas de lui, c'est notre ancêtre commun.

Pour vous résumer rapidement de quoi le seul célibataire masculin disponible dans la colonie a l'air, mettons qu'à l'époque, personne a des lunettes, pis personne tient à en avoir.

Le bateau amène une fille.
Elle débarque. Elle s'en vient voir le gars.
Elle retourne demander au capitaine quand est-ce qu'y repart.

Le capitaine, y a de la vision, y dit:
– *Comment ça, repartir? Woyons donc, t'es pas pour repartir! C'est ici que, tous les deux, lui et toi, vous allez ensemble créer une nouvelle race.*
– Ouaille! mais, c'parce qu'y est maganné en verrat...
– *Ben non! Y est pas maganné, c'est juste la finition, ça! C'est arrivé dans le transport. Il est parfait, j'te dis. C'est mon gros vendeur, c'te semaine!*
– ...
– *J'sais pas quand est-ce que je vas en avoir d'autres, j'sus déjà en back-order. Pis, tu te décides-tu?*
– C'pas juste lui, c'est moé. M'avez-vous vue? J'ai pris le même transport que lui: j'sus pas ben ben mieux.
– *De quoi t'as peur? Qu'y te trompe avec une autre? T'es la seule femme icitte.*
– Munute: y a les Indiennes aussi.
– *T'as peur pour rien: les Indiens, y sont comme tous les peuples qui voient arriver une nouvelle gang chez eux: tant qu'ils les connaissent pas, ils en ont peur, pis ils veulent rien savoir de ça, les minorités visibles. T'as peur pour rien. Tu te décides-tu?*
– Ça pas d'allure que lui pis moi, on soit tous les deux la souche d'une nouvelle nation: on a l'air de deux pichoux!

Et le capitaine dit à la fille:
– *Sois moins myope, aie de la vision. Sais-tu ce que t'es en train*

de faire, toi ici? T'es en train d'écrire l'Histoire! Sois moins myope. Aie de la vision!

Et ce capitaine-là avait raison: la preuve, 12 générations plus tard, les deux pichoux, ç'a nous a donné Roch Voisine, pis Julie Masse.

Nous autres, y me semble qu'on n'a pus de vision, me semble qu'on est toujours juste accrochés rien que sur les maudits p'tits détails.

Me semble que nos dirigeants ont pus de vision.

J'sais pas si y en a d'autres ici qui font ça; moé, souvent, j'imagine nos dirigeants en train de prier, le soir:

(LE POLITICIEN QUI PRIE.)
– Toute va mal, j'sais pus quoi faire: présentement, on est juste un p'tit paquet au milieu d'une grosse gang qui veut pas se rendre compte qu'on a notre propre culture, tout le monde est rendu sur le BS, y a de la violence conjugale, nos jeunes décrochent, y sniffent de la colle, y ont des armes; notre police est pas capable de sentir quelqu'un si y est pas de la même race que nous autres, je l'sais pus quoi faire. Je vous le demande à genoux: qu'est-ce que j'vas faire?

(DIEU)
– *Regarde le côté positif: ce que tu viens de me dire devrait vous rapprocher des Mohawks parce que, quand eux autres me prient le soir, ce qu'ils me disent dans leurs prières, c'est la même chose que toé tu viens de me dire, mot pour mot.*

(LE POLITICIEN)
– Ouaille! mais nous autres, on paye des taxes! Pis même avec toutes les taxes que moé, comme gouvernement, je charge sur toute, pis même les taxes sur les taxes, j'arrive pus. Je l'sais pus quoi faire, qu'ossé que je vas faire?

(DIEU)
– *Ça se peut-tu qu'y en a un p'tit peu trop dans ta gang que tu*

payes pour poser le morceau qui sert à rien?
(LE POLITICIEN)
– Je le sais qu'il faut couper. Quand je rentre au bureau le matin, je réunis mon personnel immédiat, c'est mes amis, ça. C'est la première affaire que je leur dis: il faut couper, dites-moé où! Ç'a beau être juste mes chums que moi-même j'ai choisis, des fois je me demande si y viennent pas d'une autre planète: ils comprennent rien! Je l'sais pus quoi faire, qu'ossé j'vas faire?
(DIEU)
– *«Ton personnel immédiat... tes chums...» À quoi tu t'attends d'eux autres, exactement? Qu'y en ait un qui t'arrive un matin, pis qu'y te dise: «Bon ben moé, j'ai vérifié dans mon département, pis c'est pas ceux qui travaillent pour moé qui sont de trop, c'est moé qu'y faut que tu mettes à porte parce que c'est moé qui fais rien, pis qui te coûte cher.»? Woyons... Allume!*
(POLITICIEN)
– «Allume, allume», c'est facile à dire, ça. Mais ça me dit pas quoi faire, ça. Qu'ossé je fais?
(DIEU)
– *Lève-toi. Lève-toi, debout. Es-tu capable de te tenir debout? Lève, debout. Bon. Sois moins myope, aie de la vision! Quand tu rentres dans ton bureau le matin, sais-tu ce que tu t'en viens faire? Tu t'en viens écrire l'Histoire. Pense à ça quand tu rentres dans ton bureau le matin. Sois moins myope. Aie de la vision...*
(LE POLITICIEN)
– Bon, de la vision. Y faut que j'aie de la vision, de la vision... Bon. O.K. Ah! je le sais ce que je vais faire: je vas... baisser le prix du litre de diésel... de 2 cennes! Non, attends, c'pas ça. Euh, je vas... augmenter les timbres à 44 cennes! Non, attends, c'pas ça que j'vas faire, je l'sais ce que j'vas faire: je vas faire vacciner tout le monde contre la méningite... Non, j'vas ouvrir un casino! Non, j'vas en ouvrir 2! Non, j'vas en ouvrir rien qu'un, y va coûter le même prix que 2, c'est ça! Non, attends un peu. Non, je vas commander des hélicoptères anti-sous-marins! Non, j'vas

annuler les hélicoptères! Attends un peu: mes chums font de l'asphalte... C'est ça, c'est de l'asphalte que j'vas commander! Non, attends, c'pas ça: je vas dire aux allophones que j'ai pas besoin d'eux autres! Non, je l'sais: j'vas mettre un toit d'aluminium sur le stade olympique! Ah ben non! j'vas dire que j'ai déjà fumé du pot quand j'tais jeune! Non, je le sais: je vas promettre de réduire le déficit en 5 ans! Ah! pis *fuck* le déficit: le chômage, tiens! Je vas réduire le chômage! 200 000 emplois! Non, 200 000 emplois, ç'a déjà été promis ça: 400 000 emplois, tiens! Non, attends, faut que je sois logique: le monde qui est toute su'l chômage à matin, y en a qui avait encore une job v'là 6 mois... Ah ben, je le sais: je vas faire un impôt qui remonte à v'là 6 mois[1]!

(DIEU)

– *Natawéno kassola, dékonngui somatowé!*

Je veux pas passer pour radoteux, mais me semble qu'avant, c'était le bon vieux temps.

Je le sais que ç'a déjà été dit, ça, mais il me semble que c'te fois icitte, c'est plus vrai que les autres fois.

Avant, c'était le bon vieux temps.

Dans le temps que tout le monde avait un jardin à sarcler, de la vaisselle à laver, des souliers à cirer...

Dans ce temps-là, si t'avais pas de job, c'était pas à cause d'une méfiance des marchés de change internationaux face à notre devise, ou à cause d'une astination sur la part réelle de contenu canadien d'un char japonais assemblé en Ontario que t'exportes au Mexique parce qu'on a un accord de signé avec les États. Non!

Dans ce temps-là, si t'avais pas d'ouvrage, c'était pour des raisons simples: t'étais sans dessein, t'avais pas voté su'l bon bord.

C'était le bon vieux temps.

---

1. Tout ça est vrai.

Mais tu vois, ceux qui ont vécu ce temps-là, c'est-tu parce qu'y étaient rendus myopes à force d'être collés dessus; y le voyaient pas, eux autres, que c'était le bon vieux temps.

Moé, ma mère, quand elle vivait dans ce temps-là, tout ce qu'elle voyait, c'était la crise... la guerre... la semaine de 50 heures, pas d'assurance-maladie si t'arrivait une malchance...

Dans sa tête à elle, le bon vieux temps, c'était le temps de sa mère à elle: les débuts de la radio... les chevaux à place des chars... le monde qui marche au lieu de courir en *checkant* sur leur montre à 6 piasses...

Pis j'sus sûr que si je pouvais demander à ma grand-mère...

C'est ça!
Au lieu de chialer que toute va mal, on a juste à voir tu-suite l'époque qu'on vit présentement comme «le futur bon vieux temps» de nos enfants!

C'est ce qu'on va leur dire dans 20 ans quand on va leur en parler!
Mais là, on a la chance de s'en rendre compte, le temps qu'on est dedans!
Vous trouvez pas que, déjà, ça va mieux?

Bon O.K., on est écœuré d'être taxé, mais peut-être quand nos enfants vont avoir notre âge, l'écœurement va être taxé!

Ce qu'on vit présentement, c'est le futur bon vieux temps de nos enfants!

Regarde juste mon char, tiens.
C'est automatique: quand je m'assis dedans, je fais quoi? Je chiale contre le char.

Y veut pas partir, c'te char-là. Y a 13 ans, 310 000 km, pisse l'huile à transmission sur mon asphalte. Je le fais aligner, je le fais balancer: y «*shake* encore». Le *bumper* tient avec une broche, les lumières d'en arrière... Non, les lumières d'en arrière tiennent bien.

Ça me donne quoi de chialer contre c'te char-là? Dans 20 ans, j'vas parler à mes enfants de c'te char-là comme du «bon vieux char du bon vieux temps». J'ai juste à m'en rendre compte tusuite quand j'm'assis dedans!

Ce qu'on vit présentement, c'est le futur bon vieux temps de nos enfants, on a juste à s'en rendre compte le temps qu'on est dedans, pis à en profiter!

Peut-être aussi que le futur bon vieux temps de mes enfants...

... c'est juste une excuse que je me donne, parce que moi, j'ai pas le caractère que ça prend pour gueuler quand y a de quoi à changer...

Peut-être que je devrais en parler avec ma femme, tiens...

... mais c'est plus facile de trier des clous.

GUIDE
DE
SURVIE

Préface

«Guide de Survie» a été présenté de l'automne 95 à l'automne 98. Le texte que vous vous apprêtez à lire est la transcription d'une représentation effectuée au Spectrum de Montréal, en vue de son enregistrement sur vidéo.

Étant donné l'évolution, la redécouverte constante d'un spectacle, nous en faisons régulièrement un enregistrement, ce qui amène la remise à date du texte, et permet aux techniciens d'en ravoir une copie exempte d'annotations et de ratures. Ça ne dure évidemment pas...

Le fil conducteur de «Guide de Survie» est une interrogation sur les multiples façons qu'on trouve pour se relever chaque matin et continuer à vouloir vivre, malgré tous les avatars, déceptions, peines et échecs: choisir de voir ce qu'on veut, de n'entendre que ce qu'on veut, de se voir sous son meilleur jour, d'embellir la réalité ou de se réfugier dans cette période de sa vie qu'on croit avoir été la meilleure.

Gilbert Dumas y fut de retour à la mise en scène, reconstituant ainsi l'équipe avec laquelle je continue encore de fonctionner: Bruno Jacques aux éclairages, François Ranger à la sonorisation et Jean-Pier Doucet à la direction de production et de tournée.

Si vous avez lu le texte des deux spectacles précédents, vous remarquerez que celui de ce troisième est plus long.

Le spectacle n'était pas plus long, c'est juste que j'avais appris à parler plus vite.

PREMIÈRE PARTIE

(DANS LE NOIR, IL ENTRE, LAMPE DE POCHE ÉTEINTE EN MAIN ET S'ASSEOIT.)
Tout le monde est bien assis, là?

(DIRIGEANT LE JET DE LUMIÈRE DE LA LAMPE DE POCHE VERS LE FOND DE LA SALLE, COMME S'IL S'AGISSAIT D'UN PROJECTEUR À DIAPOSITIVES)
Sera pas long, juste voir lesquelles j'ai apportées...
(ON-ON-ON)
Ah! O.K., c'est celles qui sont mélangées... Ça va être le fun. Ça s'ra pas long, juste nous ramener au commencement.
(ON-ON-ON)
O.K.
Ça, ç'a été pris chez nous, c'est quand on partait pour la fête de mon filleul. Ça, c'est quand ma femme a dit: *«J'sus prête, on part.»* Y était 10 heures du matin.

(OFF-ON)
Ça, c'est à 11 heures moins vingt, quand elle est embarquée dans l'auto.

(OFF-ON)
Ouaille! parles-en que c'est mélangé: ça c'est le p'tit chien de mon voisin qui apprend à rapporter un bâton. Le chien s'appelle «Mukluk», le bâton a pas de nom...
Là, c'est la première fois qu'il réussissait. Y branle la queue parce qu'il est content, ben oui, ben oui...

129

(OFF-ON)
Mon voisin qui est content lui aussi.

(OFF-ON)
Ça, c'est le champ qu'y a en face de chez nous, j'habite en campagne. Le champ qui se trouve en haut à gauche, est-ce que vous le voyez bien[1]? Ça, c'est la grosse mode dans mon coin présentement, c'est un agriculteur biologique. Lui, il attend la nuit pour mettre son engrais chimique.

(OFF-ON)
Ah! mon Dieu, mon cousin Yves. Ça, c'est quand je suis allé le reconduire avec sa femme au CLSC. C'est parce qu'elle pis lui, ça fait des années qu'ils essaient d'avoir un bébé, pis ça marche pas... Ah! pis tiens, je dis pus rien.
Pis?
Ah ben! vous me surprenez, parce que, d'habitude, quand le monde réalise que dans la porte du CLSC, c'est écrit: «*Clinique de fertilité, enlevez vos caoutchoucs*», ça rit plus que ça.
Est-ce que vous voyez bien?

(OFF-ON)
Ah! tiens, l'étable de mon voisin d'en face. C'est une étable moderne: acier inoxydable partout, rations programmées par ordinateur... Là, on voit des vaches qui mangent, d'autres qui dorment... Finalement, une étable, c'est comme le Sénat, mais plus propre.

(OFF-ON)
Ça, c'est une demi-heure après, quand on a sorti les vaches dans le champ. Blanches et noires, des Holstein.
Les deux grises en avant, avec un corset jaune orange, mélangez-vous pas, ça c'est les gars de l'Hydro.
Supposé qu'on a les meilleures vaches au monde, nous autres: nous donnent de la crème, du yogourt, du beurre, du homo, du

---

1. Le public a toujours répondu «oui».

2%, du 1%, de l'écrémé... Pour savoir si c'est vrai, j'ai demandé à un inspecteur du gouvernement, qui m'a dit: «*Monsieur, la meilleure vache à lait c'est celle qui donne du 13 ½%: 7 au fédéral, 6 ½ au provincial*[1].»

(OFF-ON)
Ah! là, on est revenu à la fête de mon filleul. Ça, ça se trouve à être la sœur de ma belle-sœur. Ça, c'est sa couleur de cheveux naturelle. Elle a arrêté de les teindre, elle dit: «*Je faisais ça pour avoir l'air jeune, je me suis rendu compte que je faisais exactement la même chose que les femmes qui sont plus vieilles que moi.*»

(OFF-ON)
Les broches dans la bouche qu'elle a décidé de porter, à la place.

(OFF-ON)
Ça, c'est sa mère qui veut avoir l'air jeune, elle aussi, mais elle, pas besoin de broches ou de teinture, elle a un truc.
Elle a 59 ans, elle dit à tout le monde qu'elle a 71, ils trouvent toute qu'elle a l'air jeune.

(OFF-ON, ON, ON)...
Sera pas long, j'essaye juste de me rappeler pourquoi j'ai décidé de photographier ça: le piano, le buffet de la salle à manger, les bijoux de ma femme...
Ah! O.K., c'est quand j'ai photographié les objets de valeur chez nous, pour les assurances.
Je me suis fait voler la semaine d'après. Rien pu réclamer: tout ce qu'ils ont pris, c'est mon appareil photo, c'est la seule chose dont j'avais pas pris de photo.

(OFF-ON)
Première photo que j'ai prise avec mon nouvel appareil. Il est un

---

[1]. Depuis ce temps-là, le gouvernement provincial a enrichi le lait d'un autre 1%.

peu mélangeant, j'aurais dû lire les instructions.
En tout cas, ça c'est une photo de mon œil gauche.

(OFF)
(DANS LE NOIR):
Celle-là, c'est quand j'essayais de comprendre le flash...

(ON)
Ah! ça, c'est une niaiserie, s'cusez...

Ah! pis non, c'est trop niaiseux pour que je vous en parle... Ben,
je le sais pas, là, est-ce que...
(AUX SPECTATEURS QUI PROTESTENT.)
Ah! pis, O.K. mais c'est vraiment niaiseux.
Ça, ç'a été pris dans le fond du garage de mon autre frère. J'ar-
rive l'automne passé avec mon nouvel appareil photo. J'y dis:
«Tasse-toé, j'vas *poser* tes pneus d'hiver.»
(LES GENS PROTESTENT.)
Je l'avais dit que c'était niaiseux! C'est eux autres (POINTANT
LA LAMPE DE POCHE DANS UNE SECTION DE LA
SALLE) qui ont insisté.

(OFF-ON)
Une peinture faite par ma mère, on en a tous reçu une couple cha-
cun dans la famille, elle a commencé à faire ça à l'âge de 60 ans.
Pris dans le fond du garage, ça aussi.

(OFF)
(DANS LE NOIR)
Ça existe-tu, un magasin de bikinis où y a des photos de garages
sur les calendriers?

(ON)
Woup! Ça, c'est du monde qui a pas d'affaire là.
C'parce qu'à la fête de mon filleul, on attendait la parenté de ma
belle-sœur qui arrivait d'Abitibi. Un moment donné, ça frappe à
la porte. Je dis: «Pas un mot, pas un mot personne, je vais les
poser juste comme ils rentrent, ça va être drôle.» Finalement,

c'étaient les voisins de mon frère qui cherchaient leur chat «Antoine».

J'ai dit à la femme:

– Me semble que pour un chat, c'est un drôle de nom, Antoine...

Elle dit à son mari:

– *On n'a pus d'affaire icitte, viens-t'en, minou.*

(OFF-ON)

Quand mon neveu de 3 ans et demi nous a fait son p'tit concert de violon.

(OFF-ON)

Quand les voisins de mon frère nous ont envoyé la SPCA; ils pensaient que c'était Antoine qu'on étranglait.

(OFF-ON)

Ma nièce de 18 ans[1]...

Les cheveux bleus.

J'y ai dit:

– Ben voyons, c'est quoi ça, les cheveux bleus?

– *C'est ma façon à moi d'affirmer ma différence, je suis un être unique.*

(OFF-ON)

Sa gang de chums de filles qui ont toutes les cheveux bleus eux autres aussi.

(OFF-ON)

Ah! mon Dieu, Serge, pis Lucie. Ça, c'est un couple d'amis qui s'est marié la même date que nous autres, il y a 22 ans.

Ça, c'est quand ils sont venus faire un tour l'été passé. Là, on était en train de se baigner...

(OFF-ON)

Le p'tit souper aux chandelles, les deux couples...

---

1. Les gars du public ont toujours sifflé d'admiration.

(OFF-ON)

Ça, c'est quand nous autres, les hommes, on a proposé aux femmes de jouer une p'tite partie de strip-poker...

(OFF-ON)

Ça, je pense que c'était la troisième levée...

(OFF-ON)

Ça, c'est quand les femmes ont dit: «*Eille! pour rendre ça plus excitant, on joue-tu à l'argent, à la place?*» On a dit: «O.K.»

(OFF-ON)

Ah! tiens, ça c'est les p'tites autos qu'on a données en cadeau à mon filleul. J'avais payé pas mal, mais tant qu'à faire un cadeau...

(OFF-ON)

Mon filleul à quatre pattes qui pousse une petite boîte vide en faisant semblant que c'est une auto...

Su'l'coup, ça m'a fait quelque chose.
«Coudon, c'est ça qu'on vient de lui donner, des p'tites autos!»
Après ça, j'me suis dit: lui, quand il regarde une boîte vide, ce qu'il voit, c'est une auto.
C'est correct.

Plus tard quand il va regarder une lampe de poche, peut-être qu'il va voir des diapositives...

(RETOUR DE L'ÉCLAIRAGE, IL VIENT AU CENTRE.)

Y était rendu 4 heures de l'après-midi à la fête de mon filleul, les jeunes s'amusaient ensemble. On s'est dit: «C'est encore de valeur, on devrait essayer de retrouver Antoine», surtout que son rendez-vous était pris chez le vétérinaire pour le faire opérer le lendemain.

On s'est fait un plan du quartier pour se répartir les rues. Mon frère habite un nouveau développement, ça s'appelle: «Val

Boisé».

Le chat va être facile à trouver: y a pas un arbre.

Un moment donné, j'arrivais sur la fin de la rue qui m'avait été assignée.

– Antoine! T'es où, mon beau Antoine? T'es où, mon amour? T'es-tu fâché? Ça fera pas mal, tu sentiras rien... Antoine!

Je m'en étais pas aperçu, sur le coin, y avait un gars sur son balcon.

Le genre 16 pieds cubes, avec des touffes de poils jusqu'icitte, proche des ongles...

– *Comme ça, ton beau Antoine est parti?*

– Ben oui... Vous vous appelez pas Antoine, j'espère?

– *Non, moi, c'est Réjean. Écoute, c'est juste pour te dire, si jamais Antoine décide qu'il revient pas, euh...*

– Oui?

– *J'ai une deuxième robe de chambre, si ça te tente de venir regarder des vidéos...*

J'ai reviré le coin pour continuer à le chercher, mais là, je criais:

– Face de pus! Face de pus! T'es où, ma face de pus?

Mon chat à moi, des fois, je l'appelle de même: «Face de pus!», il vient pareil.

«Face de pus», «Tête de morve», «Fond de sac vert»: ça marche toute...

Y a ma tondeuse aussi que j'ai découvert que je peux y dire n'importe quoi, ça y fait rien.

Deux heures de gazon à faire: j'en profite: «T'en veux du gazon? Quins, en v'là, enwoye, manges-en!»

Des fois, ça me prend juste une heure et demie.

Ou bedon quand j'essaye de rentrer un clou, pis j'sus trop proche d'un nœud. «Coudon toé, la fois que tu t'es réveillé, pis que tu t'es aperçu que t'étais un clou, il t'es pas venu à l'idée qu'une

journée, tu te ferais planter? Bon, ben c't'à matin!»
Wham! Il rentre mieux.

Dans tout l'univers, les humains, on est les seuls à qui les bêtises,
ça fait de quoi...
Pis dans le fond, tu penses à ça: une bêtise, c'est rien. Je veux
dire: ça te touche pas, ça te casse pas le bras, ça te fait pas saigner.
C'est juste des mots:

– Bruno? – C'est le technicien – Face de pus!

(BLACK OUT)

– C'est ça que j't'en train d'expliquer, là, Bruno: c'est juste des
mots.
(BRUNO)
– *Casque de bain!*

(RETOUR DE L'ÉCLAIRAGE)

Même les mots, c'est quoi?
Les mots, c'est juste... des vibrations dans l'air (GESTE ONDU-
LATOIRE DES BRAS)...
«Face de pus», c'est la même chose que «Yodelay-hi-hou»:
– *Eille! le twit, si tu sais pas chauffer, tasse-toé donc!*
– Yodelay-hi-hou!
– *Coudon, es-tu un malade, toé?*
(GESTE ONDULATOIRE)

Mais tu te fais dire des bêtises, pis ça fait de quoi.
Surtout quand ça vient de quelqu'un en qui t'as confiance, quelqu'un avec lequel tu travailles depuis plusieurs années, que t'en
es venu à voir comme un ami. Un moment donné, tu t'en attends
pas, tu te fais dire «Casque de bain» devant tout le monde: c'est
dur.

Mon chat, lui, les mots que j'y dis, c'est vraiment juste des vibrations dans l'air.
Pis quand j'ai découvert ça, ç'a m'a surpris.

Parce que moi, j'en étais venu à penser qu'à force de vivre avec nous autres, il se voyait comme un de nous autres, tsé. Là, je commence à penser que lui, il pense que moé, j't'un chat.

J'ai fini de souper, je le vois devant la porte. Il attend.
J'y dis: «Veux-tu aller dehors?»
Il me regarde, avec, dans face, la même expression qu'une mouche 2 secondes avant qu'a frappe ton *windshield*.
Là, j'vois ma phrase qui entre lentement dans sa tête, ici, (MILIEU DU FRONT), elle traverse son crâne lentement, «Veux-tu aller dehors?» (ONDULATIONS)
Elle essaye une couple de *switches,*
y a rien qui allume...

Vas m'asseoir dans le salon pour regarder la T.V., viens pour ramasser la télécommande, le chat est rendu dessus.
J'y redis:
– Tu veux aller dehors, hein?... Hmm?

J'mets un peu de *pep* dans mon «Hmm?»:
– Attraper des belles p'tites souris? Hmm?

Là, j'essaye de prendre un ton de chat:
– Faire des beaux kékas? Non? N'a pas des beaux kékas?
Étirer les belles griffes dans le moustiquaire de la porte, pis toute le dékalisser? Non plus? Non?
– (ONDULATIONS): Faire des beaux kékas?

Rendu à l'annonce, je m'adonne à me lever, il est retourné devant la porte.
J'y redis: «Aller dehors?»

Rendu là, je dis pus: «Veux-tu aller dehors?», peut-être que c'est trop de vibrations pour lui, j'essaye juste avec:
– Aller dehors?
Dehors?
You wanna go out?

Il attend.
Il veut sortir!
Il attend.

Qu'ossé qu'y attend?
Il attend que j'aie fermé la T.V., éteint les lumières, barré la porte, monté l'escalier, placé mon cadran pour 6 heures et demie demain matin, enlevé mon linge, baissé les couvertures, tassé le moton dans le fond de mon oreiller, ramené les couvertures, fermé les yeux pour essayer de dormir, et là:
– *Ménard... Ménard...*

«Ménard», ça c'est quand il se rappelle que t'à l'heure, j'y ai parlé de sortir, et là, pendant que je dors deboutte, tounu, accoté dans porte ouverte, y est après y penser:
«J'ai-tu le goût d'aller dehors, moé là?
(SE LÈCHE LA PATTE ET LA FACE)
On peut dire que oui, j'pense.
Ouaille! mais j'ai-tu le goût d'y aller tu-suite, ou bedon juste t'à l'heure?
Tiens-moi donc la porte ouverte un peu, que je voie si y a pas quelqu'un que je connais, là... Mouaille... qu'osse t'en penses, toé?»
– Moé, tu veux savoir ce que j'en pense? M'a te le dire, moé ce que j'...

Bon, ça y est, il se décide.

(APRÈS UNE PAUSE)
Il veut rentrer.

En hiver, quand y fait -30, j'peux comprendre: si j'attends à demain pour le rentrer, ça sera pus un chat, ça va être un *popsicle* avec du poil. Mais en plein cœur d'été, tsé veu dire, là:
– Occupe-toi un peu! Va faire un tour! T'as pas d'amis?

En général, il décide de rentrer à 5 heures et demie du matin...
5 heures et demie.

Non, je me dis: «C'est une bonne chose que je m'habitue à me relever à 5 heures et demie du matin pour venir débarrer une porte, ça me fait pratiquer pour ce qui m'attend: ma fille aînée a 18 ans, la deuxième en a 15.»

Mais, avez-vous déjà remarqué que l'heure qu'y a de 5 et demie à 6 et demie le matin, ce n'est pas la même heure qu'y a entre 10 et 11 le soir?

Couché entre 10 et 11, tu dors pas vraiment, t'es plusse après «*slacker ta strap*».
Mais à 5 heures et demie du matin, t'as déjà la *strap* complètement *slack* et un Ménard à c't'heure-là, c'est dur.

«*Ménard...*»

Au début, je me disais: «Je perds mon temps à parler à c'te chat-là, il comprend pas un maudit mot de ce que j'y dis.» Mais je sais maintenant qu'il choisit de comprendre ce qu'il veut, comme il veut, quand il veut et, la preuve qu'il comprend les mots que j'y dis, c'est que lui-même est capable de dire 4 mots: Ménard, mince, long, et Rouyn.

«Ménard»: Bon, ça c'est quand y décide de jouer au yoyo avec moi dans la porte-moustiquaire.

Le mot «Mince»: ça c'est tout ce qui a rapport à la bouffe: «*Mince*»...

Le mot «Long»: ça c'est quand il voit un autre chat par la fenêtre pis là, y veut y dire:

– *Eille! qu'osse-tu fais là, toé? Ça, c'est mon territoire, ça c'est ma galerie, ça c'est ma porte, ça c'est mon tounu qui l'ouvre à 5 et demie du matin. Là, j't'à veille de me fâcher!*
«*Long...*»

Les avez-vous déjà entendus quand ils font ça? C'est fort, ç'a pas de bon sens, tu te demandes d'où c'est que ça sort.

Chez nous, l'automne passé, y a deux orignaux mâles qui ont traversé la cour.

«Ménard, mince, long... Rouyn.»

Rouyn: ça le dit, c'est l'hiver à -30, quand il trouve que j'ai pris trop de temps pour le faire rentrer, pis là y a eu peur pour son *popsicle*.
– *Rouyn: Où c't'étais?*
– Facile à savoir: r'gard-moé la *strap*.
– *Mince?*
– Oh non!

La bouffe!
Juste par la bouffe, tu vois que ce chat-là se voit pas comme un de nous autres.
Depuis qu'y est au monde, qu'il nous voit revenir de l'épicerie avec des sacs pleins d'affaires qu'on mange, il voit ma femme préparer ça su'l comptoir, le faire cuire, le mettre dans des assiettes, il voit que nous autres, quand on mange, on s'asseoit, on prend des fourchettes...

Y a quel âge là, lui: 7 ans? En années de chat, il se trouve à avoir le même âge que moé: 47. Moi, il me semble qu'à 47 ans j'aurais fini par comprendre: «*Ah tiens, un humain, c'est de même que ça mange!*»
Pas lui.

Lui, il me ramène des souris pas de tête, des oiseaux *strippés,* des gornouilles *blendées.*
– *Mince?*
– Merci, j'ai fini de souper.

Il les mange.
Et, après qu'il les a mangés, il me laisse toujours...
un moton...
kaki...

très exactement à la place où j'mets mon pied nu-pied à 5 heures et demie du matin.

Des fois, j'y en parle:

– Le moton kaki, y est pas bon pour toé, pourquoi tu penses que moé j'en voudrais?
M'as-tu déjà vu manger de quoi qui ressemble à ça?
T'as 47 ans!

Tu veux savoir ce que je pense?
Moé, je pense que quand tu pressens que ça sera pas le fun, ou quand t'as peur que, peut-être, ça fasse mal,
ou quand tu figures que ça te tente pas,
à ce moment-là,
dans ta tête tu décides de penser...
à rien.

Et ça, c'est peut-être ce qu'il y a de plus remarquable chez mon chat:
il est capable de penser à rien.

Nous autres, on n'est pas capable de penser à rien.
Vraiment à rien!
On n'est pas capable.
Même quand tu penses à rien, tu t'en rends compte, pis te rendre compte que tu penses à rien, c'est penser à de quoi.

Mais mon chat, quand il a dans face la même expression que le député qu'on voit toujours assis en arrière du ministre qui parle à l'Assemblée nationale, tu le voés:
y pense à rien.

(CHANGEMENT D'ÉCLAIRAGE)
Wow! Ça c'est beau, Bruno.
Non, vraiment.
Je suis content de voir que t'es pus fâché.
C'est vraiment chaud... c'est... Pas de farce, je dois être sexy, moé icitte...

(AU PUBLIC QUI PROTESTE)
Non, c'correct.
Vous avez raison, moi j'suis pas le genre, euh...

Des fois, après un spectacle, y a des belles filles qui viennent me
voir, y me regardent, là y me disent:
« *Vous...*
vous...
vous devez être fin, vous. »

C'est normal.
Si tu regardes la théorie de l'évolution des espèces selon Charles
Darwin, qu'est-ce que ça dit?
Ça dit:
L'homme descend du singe,
qui descend d'un lézard de 135 pieds,
qui descend d'une coquerelle qui descend d'un crapet qui vient
d'une balloune qui s'est faite un matin dans un étang d'Afrique
de l'Est.

Bon, ça, on le sait toute.

Et moi ce que je pense,
c'est que tout ce qu'y a eu avant moi pour me faire,
je pense que j'l'ai encore en dedans de moi.

Le crapet est encore là, la coquerelle... le singe...

Moi, j'ai commencé par être un lézard.
C'est quand j'étais bébé.
Je l'ai revu quand mes enfants à moi étaient bébés.

Je nageais un peu de même des quatre bouttes, su'l dos, su'l ven-
tre, dans l'lit, dans l'bain, s'a table, un moment donné, t'as la tête
qui *kick*.
Là, a barre, là c'est les yeux qui partent sur toué bords, dort le
restant de la journée: un lézard.

Après «lézard», j'ai pogné la phase «p'tit chien».

«P'tit chien», ça, c'est 2 ans à 4 ans.

T'es pareil comme un p'tit chien. Tout ce que le monde te propose, ça t'excite, pis tu sais même pas ce que c'est.

– Viens-tu chez ma tante Irène?

– *Ma tante Irène! Veux y aller, veux y aller!*

– Ben embarque dans l'auto!

– *L'auto! Veux y aller, veux y aller!*

Pars pour chez ma tante Irène, la vitre baissée, la tête sortie tout le long du chemin; arrive chez ma tante Irène, saute en bas de l'auto, cours partout dans le gazon, monte l'escalier, rentre chez ma tante Irène, fonce sur ma tante Irène.

Cours partout dans le salon, reviens enfarger ma tante Irène, repars dans la cuisine, reviens foncer sur ma tante Irène, cours dans la toilette,

«*Oh, l'eau de la toilette est bleue, chez ma tante Irène*», reviens foncer sur ma tante Irène.

Ma tante Irène! Ma tante Irène!

Ma tante Irène,

est vieille, est sourde, elle a pas de dents, elle pue les oignons, elle a mal aux jambes, pis elle trouve ça de valeur d'avoir mal aux jambes parce que tout ce qu'elle rêve, c'est de te botter le derrière jusque l'autre bord de la rue.

Est fatiguée, ma tante Irène, elle veut pas te voir.

La fois d'après:

– Viens-tu chez ma tante Irène?

– *Ma tante Irène! Veux y aller, veux y aller!*

Un vrai p'tit chien, un vrai Mukluk!

Tout ce que le monde s'apprête à te lancer, t'as même pas encore identifié ce que c'est, t'es déjà parti.

– Sais-tu ce qu'on va faire aujourd'hui?

On va aller au parc, tu vas recevoir une balle-molle en plein front...

Après ça, on va aller te faire vacciner contre la polio avec une aiguille longue de même...

Après, tu pourras te prendre la tête entre deux barreaux de la rampe d'escalier, pis passer le restant de l'après-midi pogné dedans.

– La tête d'in barreaux, veux la mettre! Veux la mettre!

Quand j'avais entre 2 ans et 4 ans, j'avais un chien: il me prenait pour un chien.

Excepté un bout de ma jambe qu'il prenait pour une chienne...

Après «tit-chien», j'avais 5 ans, j'pense que j'étais une vache.

Ma mère me mettait dehors le matin, passais la journée à me mettre les pieds dans la marde, 5 heures, fallait que je rentre: une vache.

Après un an de «vache», je suis devenu une grenouille.

«Grenouille», c'est 6 ans jusqu'à 12 ans.

Tu passes proche de te faire éfoèrer 3 fois par jour dans la rue par un char.

Y en a qui te font fumer, c'est pour voir si on va éclater.

On n'éclate pas, on vomit.

T'es à l'école, et une journée, au gymnase, tu t'aperçois que t'as des p'tits bras, des grandes cuisses maigres pareil comme une grenouille. Excepté Luc Dagenais dans ma classe: il avait les poignets aux chevilles, mais sa mère nous avait expliqué que c'était un cas de siège à la naissance.

Le printemps passé, fallait aller chercher le bulletin des enfants à l'école, j'ai traversé le gymnase:

les gymnases de nos écoles sentent la *swamp* à grenouilles.

À 13 ans, j'ai subi une légère mutation: j'étais une grenouille, je suis devenu un crapaud.

Ça faisait un bout de temps que le prof s'apercevait que j'étais plus intéressé par les mouches que par son cours...

Il en parle à ma mère, là je me suis retrouvé avec une paire de grosses «barniques» qui me sortait chaque bord de la tête, qui me faisaient une face de crapaud.

Queq'temps après, j'sus venu avec une voix que quand je parlais, le monde pensait que je rotais.

La phase d'après, c'est 17 ans.

À 17 ans, j'étais un cheval.

Je marchais comme un cheval, je riais comme un cheval, quand je voyais une fille avec des belles jambes, je venais emmanché comme un cheval.

Mais ça, ça fait longtemps.

Après «cheval», ça fait une fourche.

Soit que tu t'en vas directement de «cheval» à «hamster» comme Luc Dagenais a fait, soit que tu prends la courbe «ouvre-boîte» comme moi j'ai fait.

«Ouvre-boîte»: t'as 20 ans, t'étudies, restes en chambre, pas une cenne: manges des *cannes*.

Et, que t'arrives directement de «cheval» ou que tu passes par «ouvre-boîte», de toute façon, tu te retrouves à la phase «hamster».

La phase «hamster».

Tu te trouves une «hamsterette», et jusque-là, je le sais pas, tout ce que t'avais dans la tête, c'était d'avoir du fun, sortir, retrouver tes chums, dépenser ton argent; mais là, avec la hamsterette, tu commences à regarder les choses de plus loin, à prévoir, tu commences à ramasser des affaires que tu mets dans des boîtes, tu changes les boîtes de place à tous les mois de juillet – la hamsterette a toujours trois fois plus de boîtes que toi mais c'est toi qui les transportes, surtout s'il y a des escaliers –, et un soir, en regardant la hamsterette, t'as le goût de te faire des p'tits hamsters.

Et là, tu trouves une cage.

«Regarde, Minou, je le sais que c'est juste une cage, mais ça va être notre cage à nous deux, pis regarde: c'est exactement, exactement ce qu'on cherche, exactement!»

T'a démolis complètement, tu passes 20 ans à la refaire: «Woup, un autre p'tit hamster, tasse ça icitte, mets ça dans le coin, jette ça à terre, on va l'installer là, il va être ben.
Si y en arrive un autre, je ferai une rallonge par l'autre bord, je rajouterai un deuxième, je finirai la cave!»

Change des affaires de place dans ta cage, tout le temps, pareil comme un hamster: rentre du linge, sors du lavage, ramène de l'épicerie, sors des vidanges...
Change des affaires de place dans ta cage, pareil comme un hamster.

Comme là, moi, tu vois, je pense que j'achève la phase hamster, là: les p'tits hamsters, pis les rénovations sont toute faites, pis la *strap* pour en faire d'autres est complètement *slack*.

Je le sais pourquoi je pense que mon chat pense comme moi.
J'ai déjà été mon chat.
J'ai déjà été tout ce qu'il y a eu avant moi dans l'évolution, j't'au sommet, moi.
Ça fait que je pense que tout ce qu'y a autour de moi, pense comme moi.

Regarde, juste quand je trouve une p'tite roche dans mes souliers, qu'est-ce que je fais?
Je sors dehors, je vas la mettre à côté d'une plus grosse, pour qu'elle s'en occupe.

Regarde, quand j'étais p'tit, je mettais toujours un sourire sur mes dessins de soleil, c'était quoi ça?
J'étais dans ma phase p'tit chien, je faisais pareil comme les p'tits chiens: j'arrosais mon territoire pour me faire croire qu'il était à moi, que moi j'étais au centre de ce territoire-là, et que tout ce qu'y avait dedans était là pour moi.

C'est comme les extraterrestres.
Pendant des années, moi j'étais convaincu que les extraterrestres pensent comme nous autres, mais qu'ils sont plus avancés que

nous autres, et que le jour où on va se rencontrer, y vont nous sauver 3000 ans de recherche scientifique, pis ils vont régler tous nos problèmes:
la guerre, la famine, le cancer, la violence...
les p'tits filaments de céleri qui restent toujours pognés icitte entre deux dents...
pourquoi ma femme a jamais mal à la tête les soirs que j'ai mal au dos...
comment placer le *Tupperware* dans l'armoire pour pas être obligé de la vider au complet quand tu cherches le couvercle du plat que t'as dans main,
tous nos problèmes.

La raison pour laquelle ils nous parlent pas encore, c'est parce qu'on n'est pas prêts à comprendre tout ce qu'eux autres ont hâte de venir nous enseigner.
Ça fait que quand ils viennent nous voir, c'est pour nous observer, pour savoir quand est-ce qu'enfin on va être prêts à comprendre tout ce qu'eux autres ont hâte de nous venir nous enseigner.

Convaincu de ça.

Pis, tu vois, depuis un bout de temps, là, j'pus sûr.

Premièrement, avez-vous déjà remarqué que quand les extraterrestres viennent nous voir, ils arrivent toujours la nuit, quelque part, dans un endroit relativement désert?

Ce que je veux dire, c'est que si y viennent pour nous observer, pourquoi qu'y vont à des places qu'on se tient pas, pis à des heures qu'on fait rien?

(VERS LE CIEL)
«Hey, c'est pas la nuit dans le désert! C'est le matin, 6 à 9 et demi, pont Champlain! On est tous là... et on ne bouge pas!»

Non, eux autres, c'est toujours la nuit...
quelque part,
dans un champ...

Qui c'est qui est deboutte à c't'heure-là?
Mon chat.

Nous autres, on pense que les extraterrestres, c'est des humains
améliorés qui ont hâte de venir nous améliorer; eux autres, ils
pensent qu'on est des *popsicles* à poil qui laissent des motons
kaki partout.

Ça se peut!

Tout à coup que les extraterrestres se rendent compte qu'y sont
trop avancés par rapport à nous autres, et que nous autres, ça sert
à rien, on est trop en retard, pis là y décident que la seule manière
dont on peut leur être utile, c'est avec trois suces, collés dans
vitre, la main droite qui fait «Bye-Bye» quand y *brakent* dans
leur soucoupe volante?

Ça se peut!

Tout à coup qu'ils décident que la seule manière dont on peut
leur être utile, c'est en étant de l'engrais pour eux autres:
– *Qu'ossé, tu veux que ça pousse? Fais comme moé, je mets de
l'humain! Non, je l'sais que ça pue, mais écoute ben: quand t'en
mets un paquet, après ça, t'as pus de trouble, ils s'en refont
d'autres entre eux autres. J'te l'dis: des vra p'tits hamsters!*

Ça se peut!

Je me souviens, un grand bout de temps quand j'étais tu-seul, la
nuit dans mon auto:

«Je suis ici.
Me voyez-vous? Je suis prêt! Communiquez! Communiquez!»

Je mettais la radio entre deux postes...
Non mais, ils viennent te chercher, ils te ramènent, tu fondes ta
secte, tu pars ta ligne 1-976: Hey!

Là, depuis queq' temps, j'me dis: non, c'pas logique de penser de même.

Ça doit pas être «juste un» qui les intéresse, ça doit être «toute une gang».

Là, ils doivent être au-dessus, en train de se dire:

«Écoute ben mon plan: on va y aller le soir. Pourquoi? Parce que le soir, les humains ont pas le choix: ils sont obligés de se mettre à Off, huit heures de temps en moyenne. Pis, écoute ben, j'ai pensé une manière pour qu'on en ramasse toute une gang, pis que ça se fasse vite: on va y aller un soir qu'y en a toute une gang assis à la même place, pis qui regardent toute dans la même direction, ils nous verront pas venir, tu comprends?

Woup, attends!

Non, oublie ça: y en a un, en avant d'eux autres qui regarde dans la direction contraire, il va nous voir.

Fuck!

Penses-tu que ce monde-là se rend compte qu'il vient de leur sauver la vie?

Non, le monde est trop ingrat.»

Finalement, ils décident qu'ils viennent pareil, pis là, ils nous emmènent sur leur planète, et une fois sur leur planète, nous autres, on pense qu'ils vont dérouler le tapis rouge pour nous amener rencontrer leur président;

mais à la place, ils font des p'tits tas avec nous autres,

pis là ils nous placent dans les quatre coins pour attirer les mouches noires pendant qu'eux autres, ils mangent tranquilles au milieu du patio.

Ça se peut!

On essaye!

On essaye tout le monde de se voir comme des p'tits tas!

Non, je l'sais: on n'aime pas ça se voir plus laid qu'on est, plus inutile, plus vulnérable.

Non, nous autres, on aime mieux se voir au centre du territoire, au-dessus de toute.

Mais là j'veux qu'on essaye sincèrement de se voir comme des p'tits tas,

comme des motons kaki!

Qu'ossé, ça veut juste niaiser?
O.K. On va faire le contraire!

Bruno, allume la salle!

Vous allez vous lever, vous allez vous tenir debout, bien droit, vous allez bomber le torse, vous allez regarder droit devant vous avec une expression de fierté dans le visage!

Levez-vous, tout le monde!
(COMME LE PUBLIC NE FAIT QUE COMMENCER À SE LEVER.)
Non, rassoyez-vous, j'ai une autre idée!

(IL DESCEND DANS LA SALLE.)
Non, c'est parce que ce que j'essaye d'expliquer est compliqué, mais aussitôt que je vais l'avoir moi-même compris, inquiétez-vous pas, ça va être clair.

On est des tomates!

Hein! on connaît ça, des tomates?
Regarde: l'allée passe en avant, en face t'as le cannage, la viande est à droite, le pain, pis les céréales sont ce bord-là, et nous autres,
on est l'étalage des tomates.

(À UN SPECTATEUR)
– Moi, c'est Pierre, vous c'est quoi?
– *Marcel.*
– Marcel, t'es belle.
(À UN AUTRE)
– Moi, c'est Pierre, vous?

– *Georges.*
– Georges, T'es ronde et juteuse.
(À UN AUTRE)
– Vous?
– *Luc.*
– Luc, t'es pulpeuse.

On est belles, m'entendez-vous.

Ils viennent juste de nous arroser, t'sais comment on peut être belle dans ce temps-là?
Ben, y a des places qu'on est moins belles, mais on a toute été tournées su'l bon bord, ça paraît pas.

Woup! pas un mot parsonne: y a une madame qui s'en vient avec sa belle-sœur dans l'allée de l'épicerie.
Regarde-la, elle fait comme ils font toute:
elle nous regarde même pas, elle nous dépasse, elle s'arrête, elle se retourne, pis elle dit à sa belle-sœur: «*Mouaille, les tomates ont l'air pas pire.*»

Pis c'est Marcel qu'elle regarde!
– Ah ben toé, mon espèce... Sais-tu quoi, Marcel? Ça te gêne, tu rougis, t'es encore plus belle.

Elle s'en vient nous choisir...
Attention à sa main, tout le monde! Sa main: on est juste des tomates!

(ÉTANT LA TOMATE CHOISIE, IL SE PALPE LA TÊTE.)
Finalement, elle dit à sa belle-sœur:
«*Oublie ça, sont molles.*»

Minute!
Pas de complexe: rien que des réflexes!
On est des tomates molles?
Parfait! On est du ketchup!

Non, c'est important de décider tu-suite qu'on est du ketchup.
Sans ça, y a un commis qui rentre à 9 heures à soir, pis lui, il va
décider qu'on est de l'engrais.

(IL REMONTE SUR SCÈNE.)
C'est ça que j'essayais de vous expliquer:
c'est correct de refuser de se voir comme de l'engrais.

Même que c'est important de décider le premier comment tu vas
te voir; sans ça, il y a quelqu'un d'autre qui va décider avant toi
comment lui il te voit, pis si il décide ça avant que toi t'aies eu le
temps de décider comment tu te vois, tu vas te mettre à te voir
comme lui il te voit.

D'ailleurs, le monde qui fait ça, je le sais pas comment ils font.
Moi, j'suis pas capable de «voir» du monde.
J'sus pas capable de les imaginer.

Non, attends, c'est pas comme ça...
Moé, y a du monde qui existent juste le temps que je les vois.
C'tu de même, vous autres?

La dernière fois que vous êtes allé en voyage: le p'tit gars qui a
mis de l'essence dans votre réservoir, la serveuse au restaurant, la
personne qui a déchiré vos billets quand vous êtes entrés...
Ce monde-là existe juste le temps qu'on les voit.

Ou bedon: J't'arrêté à une lumière rouge, y a un autobus à côté,
le gars qui lit son journal dans la troisième rangée...
Non, excusez: quatrième rangée...
Lui, y est venu au monde «lecteur de journal dans un autobus le
matin», pis y fait juste ça, tous les matins.
C'tu de même, vous autres?

Ou du monde que je connais un peu plus, là,
mettons que j'essaye de les imaginer dans leur quotidien: c'est
comme si dans toutes les gestes ordinaires de leur vie,
y sont toujours «comme quand je les vois.»

Exemple: le coach de balle-molle de mon gars.
Mettons que j'essaye de l'imaginer chez lui en train de montrer à
son p'tit gars de 2 ans et demi comment faire pipi debout devant
la toilette;
ça sert à rien,
je le vois toujours comme quand il *coache* à la balle-molle.

«Let's go *mon Jonathan, ton œil dessus.*
Patient, mon homme, patient.
Recule ton pied gauche un peu, raccourcis ton bat, *ça va te*
donner plus de force...
Poignets solides, mon homme, solides!
Attends la tienne.
On y va pas pour la longue shot, *là, juste y toucher, juste y tou-*
cher...
Let's go, Big! C't'à toé!»

C'est pas juste avec les extraterrestres que je me vois mieux
qu'un moton kaki:
j'sus sûr que quand mes enfants me regardent, ils pensent que je
suis un surhomme.
(POSE SURHOMME)

Quand ils écoutent ce que je dis, ils pensent que je suis un extra-
terrestre, mais là, c'pas de ça qu'on parle.

(REPRENANT LA POSE SURHOMME)
Un surhomme.
Pis c'est normal:
quand y sont pas capables, qui c'est qui l'ouvre, le pot de
confitures?
C'est moi.

Qui c'est qui est capable de leur expliquer la guerre en Yougoslavie,
l'énergie thermonucléaire, pourquoi que quand je regarde le
hockey, j'en connais plus que Mario Tremblay?

Quand y comprennent rien dans leurs mathématiques, ils viennent me voir, je regarde ça deux minutes:
– Tu vois ben que c'est dans le livre qu'y a une erreur!

M'a-tu leur dire après ça que j't'un hamster?

C'est comme quand ils me demandent:
– *Papa, comment c'était quand t'étais jeune?*

(Quand j'étais jeune, y étaient pas là...)

– Quand j'étais jeune? Quand, tu veux dire? 14 ans?
14 ans, ça, c'était en 63, l'année qu'y ont tué John Kennedy.

J'avais juste 14 ans mais déjà j'étais un homme et je me demandais pas ce que mon pays peut faire pour moi, je me demandais ce que moi je peux faire pour mon pays.

(J'avais l'air d'un *twit,* pis j'étais payé 40 cennes de l'heure pour passer des circulaires.)

– 15 ans? C'est l'année d'après, les Beatles sont arrivés, pis c'est moi, avec mes chums, ben un peu les Beatles, qui avons complètement révolutionné la coiffure, l'habillement, pis la musique que vous entendez aujourd'hui.

– À l'Expo 67?

(Moi, à l'Expo 67, je faisais partie des files d'attente qui menaient aux toilettes qui puent.)

– À l'Expo 67? Je faisais partie de ces jeunes qui, l'espace d'un été, juste avec des chansons pis des fleurs dans les cheveux, ont réussi pour la première fois dans l'histoire de l'humanité, à faire la paix mondiale entre tous les pays de la terre, en culottes pattes-d'éléphant *stripé* vertical, 4 couleurs.
– 68? J't'arrivé trop tard pour sauver Martin Luther King, par contre j'ai refusé d'aller au Vietnam même si personne nous l'avait demandé.
– 69: J'étais à Woodstock, tout nu dans une bouette à fumer du pot, pis riez pas, parce que trois semaines avant, on était débarqué s'a lune nous autres, O.K.!

Non, mais m'a-tu leur dire:
– Pendant que toute ça se passait, j'étais chez nous dans le salon,
éfoèré devant la T.V. à le regarder, j'avais l'air d'un crapaud, pis
je marchais comme un cheval!

Faites-moi confiance.
Mes enfants sont convaincus que c'est sur mon épaule à moi que
la veuve de Kennedy est venue pleurer pendant que je disais à
John Lennon, un ami personnel:
– John, joues-y donc un boutte de la toune *Imagine,* ça va y faire
du bien.

J'sus de même.
J'sus pas un menteur.
J't'un agrémenteur.

Oui, vous faites ben de rire, parce que vous savez très bien qu'on
est tous des agrémenteurs, parce qu'on n'a pas le choix
d'agrémenter.

C'est normal.
Dire au monde:
«Eille! tu sais pas quoi: j'ai fait un *flat.*»
Ça intéresse personne.

Si tu veux que le monde écoute un peu:
«Tu sais pas quoi, mon homme? J'm'en venais 240 km/h, de re-
culons, tempête de neige, deux heures du matin, je voyais pas
mon *hood,* craille, je voyais pas mes *wipers!*
Un moment donné, POW! Le *steering* se met à sauter, le char fait
3 tours dans le chemin, pogne un banc de neige, coupe un poteau,
rentre d'une galerie, arrache une boîte à malle, commence à
monter su'l toit d'une maison, commence à redescendre l'autre
bord, là, qu'osse-tu veux, j'ai perdu le contrôle...
Je l'ai repogné tu-suite: une chance, mon homme, j'ai arrêté le
char à 2 pouces d'un bébé qui dormait d'un carrosse!

J'ai changé mon *flat* d'une main en le berçant de l'autre main pour pas le réveiller.»

Agrémenteur.

C'est correct.

J'veux dire: Tu l'as déjà le *flat,* qu'est-ce que tu vas faire avec ton problème?

Le ressasser tout le temps, l'empiler par-dessus toute les autres problèmes que t'as, que t'as eu dans ta vie, laisser toute ça s'accumuler, pis t'écraser jusqu'à temps que t'aies l'air d'un moton kaki?

Non.

T'agrémentes.

Déjà, tu le sens, c'est plus léger.

Évidemment, l'idéal, c'est pas d'agrémenter un problème après que tu l'as eu, c'est de le régler, ou même mieux, de le prévenir. Mais ça, avez-vous déjà remarqué que c'est beaucoup plus facile à faire avec les problèmes des autres qu'avec les tiens?

Moi, je vas vous dire de quoi:
les problèmes des autres, je n'ai aucune difficulté, aucune.

Mon frère m'arrive au début de l'été:
– *Pierre, j'sais pus quoi faire, mon p'tit arrête pas de se mettre dans la bouche tout ce qu'y trouve d'enterré dans le carré de sable, je le sais pus quoi faire, qu'ossé que je vas faire?*
– Achète-toé un chat, pis regarde ben ce qui arrive.

Ma femme se plaint que son dentiste veut toujours y examiner les dents toutes les fois qu'il la rencontre, même quand il la rencontre au centre d'achats:
– Plains-toé pas, si y était gynécologue.

Mon laitier, mardi passé, m'arrive; il avait la main de même devant la bouche.
– *Je viens de me faire faire un dentier, j'sus sûr que ça paraît.*

156

T'as pas un truc pour que ça aie l'air plus naturel?
– Ben sûr: fais mettre des broches dessus.

Il commence à me parler des problèmes qu'il a avec le chien de son voisin. C'parce que lui, son gazon, y est impeccable, pis le chien de son voisin arrête pas d'y laisser des cadeaux un peu partout dessus.
– Ben oui mais dis-le, ça, à ton voisin!
– *Ça fait j'sais pas combien de fois que j'y dis, il me rit en pleine face. C'est un avocat, pis il m'a expliqué que je peux l'avertir 10 000 fois si je veux, la journée qu'on se présente en cour, un avertissement verbal, sais-tu ce que ça vaut? Zéro!*
– Ben oui, mais là-dessus, y a raison! Il faut qu'il ait ça de façon officielle et formelle dans sa boîte aux lettres.
Quand t'en ramasses, va y mettre dedans.

Pas juste les problèmes des autres: les miens!
Sauf quand je les ai.

Moi, quand j'ai un problème, ça sert à rien, je gèle, j'sais pas quoi faire.
Mais sinon, les idées que j'ai pour régler des problèmes que j'ai pas: pfff!

O.K.
Un témoin de Jéhovah arrive chez nous, m'explique que si j'embarque pas dans son affaire, je serai pas sauvé, j'irai pas au ciel.
Qu'ossé que tu fais? Qu'ossé que tu fais?
Non, c'est du bon monde.
Moi, je l'aide.
– Euh, vous autres, dans votre religion, c'est pas supposé qu'y en a juste 144 000 qui sont sauvés et qui vont au ciel? Donne-toi une chance, arrête d'en recruter!

Les fatigants qui collent chez vous pour se faire inviter à souper, pis qui décollent pus quand tu leur dors dans la face: qu'osse-tu fais?

Non, c'est important: c'est ta parenté, c'est tes amis, ça.
– Je suis donc content que tu sois arrêté pour souper! J'ai justement besoin d'emprunter 28 000 $ à un particulier, pis d'après
moi, y a juste à toé que... Non, va-t'en pas!

En ville, je roule 50km/h.
Non, mais moi, quand c'est écrit 50, je roule 50 parce que je sais
qu'à la latitude à laquelle on se trouve sur le globe terrestre, présentement, on va déjà toute à 800 km/h.
50 de plus, je trouve ça bien.

Mais ça, y a du monde qui le sait pas, pis y sont toujours en arrière de toi, ce monde-là.
– *Eille! le twit, c'est quoi ton problème? 50: es-tu plogué su'l
sérum? Eille! veux-tu je te pousse? Eille! le twit!*
– Qu'ossé, rouler à 50 c'est twit? Regarde sur ton tableau de
bord: tu roules à la même vitesse que moé.

La police m'arrête parce que je viens de passer sur la rouge:
– C'correct, j'vas arrêter s'a prochaine verte: ça s'annule.

Mon fils, en Secondaire I:
– *P'pa, y a un Secondaire III, il dit qu'à partir de demain, il va
me taxer 25 cennes par jour, sans ça il dit que je pourrai pus
prendre l'autobus.*
– Eille! Réponds-y! Dis-y que tu payes déjà 50 cennes à un 6
pieds et 4 de Secondaire V pour te débarrasser des p'tits taxeux à
trente-sous en Secondaire III.

File d'attente, ça bloque en avant, ça pousse en arrière, mais c'est
bloqué en avant, mais ça continue de pousser. Qu'osse-tu fais?
– Ah non! j'pense j'vas être malade!

– Qu'osse t'as à te dandiner de même, toé?
– *Ben c'parce qu'il y a un monsieur dans la toilette du restaurant, ça fait une demi-heure que j'attends, mais il fait juste me
dire: «Oui, oui...» mais y sort pas!*
– Tiens-toi à côté de la porte des toilettes pis dis, fort: «Le char

qui vient de sortir du parking? Je pense que c'était au gars qui est dans la toilette», tu vas le voir sortir.

Les «vendeux»!

Si y a une race avec laquelle il faut que tu sois prêt, c'est ben eux autres:
– *Qu'ossé, es-tu venu icitte pour acheter ou bedon juste pour me faire niaiser?*
– Non non, y m'intéresse là, c'est juste que...
– *Faudrait que tu te décides, c'est le dernier qui me reste!*
– Ah bon, vous êtes pogné avec?
– *Bon, O.K. Vu que j't'haïs pas la face, j'vas te faire un* deal, *combien t'es prêt à mettre?*
– Le *deal*, c'est pas combien j'sus prêt à mettre, c'est combien vous allez m'enlever sur ce que je suis prêt à mettre.
– *Bon, O.K., on passera pas le réveillon icitte, là. Combien ce que t'as?*
– Combien vous pensez que j'ai?
– *Eille! toé, mange donc d'la...*
– Yodelay-hi-hou!

Dernier rapport d'impôt,
j'avais le droit de déduire les dépenses obligatoires.
J'ai déduit ce que je leur devais[1].

«Vague de vol dans votre quartier, protégez votre résidence!»
Ben oui, j'vas-tu mettre 1200 piastres sur un système de protection? Moi, tout ce qu'ils me volent, c'est mon appareil photo: 85 $. Qu'osse-tu fais?
Tu te fais une pancarte que tu mets en bas des marches de la galerie: «Peinture fraîche».

Ben tins: c't'arrivé la semaine passée au dépanneur...
Eille! ça, ça s'est passé en 12 secondes. Bruno, tu t'en rappelles, je te l'ai conté, ça m'a pris l'après-midi.

---

1. J'ai aussi déclaré mon député comme personne à charge.

J'étais au dépanneur, un gars qui rentre:
– *C'tun hold-up, mains en l'air, vide tes poches!*
(MAINS EN L'AIR)
– Avec quoi?

Le gars se choque, sort un 12 pompeux, canon scié...
(IL A UNE IDÉE POUR REPRODUIRE LA SCÈNE: IL VA
CHERCHER SA LAMPE DE POCHE ET SE LA MET SOUS
LE MENTON.)
– *Toé, mon écœurant... tu vas avoir peur...*
– Vous avez plus peur que moi, c'est pour ça que vous avez un
fusil.

Non, c'pas vrai.

Y a rien de ça qui est vrai.

Tout ce que je viens de vous conter, y a rien de ça qui est jamais
arrivé.

Agrémenteur.

Mais t'as pas le choix d'agrémenter:
je me lève le matin,
je me regarde dans le miroir:
«Ce que je vois, ça viendra jamais mieux.»

Mais il faut que j'me relève encore demain matin,
pis encore l'autre matin après...
Dans ce temps-là, t'as pas le choix,
juste pour... survivre,
tu choisis de voir ça...
(ALLUMANT LA LAMPE DE POCHE ET LA RETRANS-
FORMANT EN PROJECTEUR DE DIAPOSITIVES)
... mieux que c'est...

DEUXIÈME PARTIE

On recommencera pas tout de suite, je voudrais vous parler,
avant.

Quand t'es chez vous, après écrire un gag,
au moment même où tu l'écris,
tu commences déjà à te demander si, une fois dans le spectacle, il
va avoir l'impact que tu souhaites.
Et moi, ce que je fais pour mesurer ça,
c'est que pendant un spectacle,
sans que ça paraisse,
je vais me promener dans la salle.

Je m'asseois à différents endroits parmi le monde, je regarde si
ils ont l'air de passer une belle soirée...

Pis là, pendant que je faisais la première partie tantôt,
j't'allé m'asseoir avec François, pis Bruno,
pis je pense que j'aurais pas dû, parce que quand je suis revenu
sur scène, mon texte était en avant de moi.

Là, j'sus parti pour le rattraper,
lui, décide de m'attendre sans m'avertir, je le dépasse,
j'y dis: «Enwoye, viens-t'en!»
Mais pendant que tout ça se passe,
tu veux pas que ça paraisse,
ça fait que tu continues à parler, mais dans ta tête, ça fait:
(ONDULATIONS DES BRAS)
«As-tu une idée où t'es rendu?»

Tout ça pour vous dire que si y en a parmi vous qui ont compris de quoi je parlais en première partie, faut surtout pas vous gêner pour venir me l'expliquer.

La raison pour laquelle c'est comme ça, c'est que quand t'écris des gags pis des numéros d'humour,
tu le sais que c'est pas un roman de Victor Hugo que tu viens d'écrire, c'est juste des gags.
Mais c'est *tes* gags,
tu les aimes toute, ça devient comme tes enfants, t'es trouves toute beaux,
tu veux pas t'en séparer, mais t'as un spectacle à construire, pis t'as un choix à faire,
et là, je veux juste prendre queq'minutes pour vous parler des numéros que vous verrez pas.

Y en a un, ça c'était bon.
C'était un numéro de participation collective.
C'est vrai que ça aurait été le fun, un numéro de participation collective, hein?
(LE PUBLIC CRIE «OUI!»)

Ça se passe dans un camp de nudistes.
T'as un gars, ça fait au-dessus de six mois qu'il vit dans un camp de nudistes.

Un matin, il voit passer une belle fille et, dans sa tête,
il l'habille.

Un autre numéro,
t'as le premier ministre qui regarde par la fenêtre de son bureau.
Il voit un parc et il a hâte, un jour, d'avoir sa statue au milieu du parc.
Su'l bord de la fenêtre, il le sait pas,
mais y a un pigeon qui a hâte, lui aussi.

T'as aussi le numéro qui s'appelle:
«La fois où le Pape est resté très surpris.»

T'as le Pape,
qui embrasse toujours l'asphalte en descendant de l'avion; une
journée, il le sait pas:
il est dans un hydravion.

C'est tout.

Moé, j'ai un oncle,
il est rendu au niveau après «agrémenteur»,
le niveau «stâllé».

Lui, c'pas juste d'embellir comment c'était quand il le raconte,
c'est comme si, dans sa tête, il avait décidé de retourner dedans,
pis y reste là.

La façon dont tu peux rendre compte qu'il a «stâllé», c'est par
l'habillement.
Il a pris sa pension v'là 4 ans, on dirait que depuis ce temps-là,
y a toujours une casquette s'a tête,
l'hiver parce qu'y fait froid, l'été parce qu'y fait soleil.

C'est le modèle avec la palette collée s'a casquette, là.
L'été, y est pareil, sauf qu'y a un *screen* en arrière.
Y a «stâllé» s'a casquette.

Y a «stâllé» s'es pantalons, aussi.
Plein cœur d'été, 34 Celsius: y est en pantalons.
Gros souliers de cuir lacés, p'tit *jacket* court gris pâle, casquette à
screen.

Y annoncent 36 Celsius: y change rien.
39: baisse un peu le *zip* du *jacket*.
42: là, c'est ma tante qui y dit:
«Tu devrais mettre tes shorts.»
C'pas des shorts,
c't'un pantalon qu'a y a raccourci.

Garde les gros souliers de cuir lacés,
bas bleu marine, remontés jusque su'l mollet,

165

3 pouces de genou,
pantalon raccourci,
avec de la place pour 2 paires de cuisses là-dedans,
p'tit *jacket* court gris pâle,
casquette à *screen.*

Monsieur Martel, mon voisin de biais, «stâllé» pareil.

Il chauffait des autobus, lui.
Je l'ai entendu gueuler,
tous les matins, pendant des années,
contre le fait qu'il était obligé de travailler en uniforme.
Il a pris sa pension v'là 4 ans.
Première chance qu'y a, qu'osse tu penses qu'y remet:
on voit l'emplacement un petit plus foncé ici où c'est qu'y était
l'écusson.

Quand il me voit revenir par chez nous, il vient me voir:
«*Pis mon Pierrot? Où-ce t'es-t-allé? Comment ç'a été?*»

Il veut pas savoir comment ç'a été,
il guette juste le moment où j'vas y dire quelle route j'ai emprun-
tée.
Là, il me déboule le nom des villes dans l'ordre,
le nombre de kilomètres entre chaque,
le temps que ça y prenait pour faire son circuit.
– *J'te l'dis mon Pierrot: les autobus, si on était pas obligé d'em-
barquer du monde là-dedans, ça marcherait!*

Son voisin à lui, l'ancien juge Demers:
il a arrêté de siéger à la Cour v'là 4 ans.
C'est pas «l'ancien» juge Demers.

Jusqu'à sa mort, dans sa tête,
il est «le juge Demers».
La preuve, tu commences à parler, il s'endort.

Ils sont toute «stâllés» pareil,
c'est permanent,
c'est dans toute.

Moi, j'agrémente mais je «stâlle» pas.
Bon, je m'habille comme dans les années 70. Pourquoi?
Parce que c'est là-dedans que j'sus ben, c'est toute.

C'est vrai, j'écoute juste du Beatles, pis du Rolling Stones,
mais mets-moé de la musique qui est pas juste du piochage
comme aujourd'hui, pis m'a l'écouter!
Moé, c'est quand j't'assis dans mon salon, pis que je les entends
passer, dans leur p'tit beurrier japonais:
«*Poumpf, poumpf, poumpf, poumpf...*»

Remets-leur, en dessous du capot, les pouces cubes,
pas les centimètres,
les pouces cubes que nous autres on avait,
pis que t'es supposé d'avoir en dessous d'un capot,
y seront pas obligés d'avancer à coup de *bass*!

Des fois, j'ai peur de ça, «stâller»:
«Quand je vas avoir fini d'agrémenter, j'vas-tu «stâller» moé
aussi»?

J'me vois déjà débarquer de l'autobus,
voyage organisé,
à l'Île-aux-Coudres,
ma casquette à *screen*...

C'tu automatique ou bedon si c'est moi qui décide?
Pis, ça se peut-tu que même si c'est moi qui décide,
ça se peut-tu que, rendu là,
on est tellement tanné de se faire dire tout le temps par tout le
monde:
«*Non, non, laissez faire, c'pus de même à c't'heure!*»
tellement tanné de se faire toujours tasser su'l bord de la bande,
ça se peut-tu que, rendu là,

même si c'est nous autres qui décide,
on décide toute de «stâller»
parce qu'on figure que c'est de même qu'on va être le mieux?

Je le sais pas.

Mais je pense à ça, moi, j'y pense souvent.

J'arrête pas de penser à ça, je pense rien qu'à ça.

Ça fait 4 ans...

(S'ACCROUPIT ET RÉFLÉCHIT.)
– Face de pus?

(SE REDRESSE.)
C'est ça!
C'est pas les mots que tu dis, c'est le ton que tu prends:
c'pour ça que ça marche!

C'est comme quand on dit des bêtises.
Ben des fois, c'est pas les mots qu'on dit qui blessent, c'est le
ton:
(BÊTE)
– *Ben non, j'sus pas fâché...*
(MESQUIN)
– *Merci, trop aimable...*
(DÉSABUSÉ)
– *Ben oui, ben oui, j'ai eu un orgasme...*

Des fois aussi, la même phrase,
ça peut-être une bêtise ou un compliment,
ça dépend juste de qui ça vient.

Si ton patron te dit:
«Pierre, j'ai beaucoup d'amitié pour toi»,
t'as une augmentation qui s'en vient.

Si t'as 17 ans, pis la fille te dit:
«Pierre, j'ai beaucoup d'amitié pour toi»,
tu viens d'avoir ton 4%.

Je l'sais pas si c'est à cause de ça,
je comprends ce que le monde me dit,
mais des fois, j'sus pas sûr que je comprends ce qu'ils veulent me
dire.

Dans une conversation:
– *Connaissez-vous Tchaïkovski?*
– Non. C'est-tu lui qui vous a parlé de moi?

Un de mes chums, v'là pas longtemps:
– *Eille! hier, j'ai regardé un reportage sur la Thaïlande, t'es déjà
allé en Thaïlande?*
– Non, ils ont dû filmer quelqu'un qui me ressemblait.

Une fille, en tournée, l'hiver passé:
– *Quoi, t'es un Gémeaux? Wow! Eille! ta femme, c'est-tu un
Cancer?*
– Non, est juste un peu fatiguée.

C'est hier midi, j'étais au restaurant, j'vas aux toilettes.
Tsé, le gars à côté qui a le goût de jaser, là:
(DEBOUT, EN POSITION DE PISSER)
– *Quins, salut!*
– Salut.
– *Eille! joues-tu au golf?*
– Non, j'essaye juste de pas me salir, là.

Ma femme, quand elle revient de magasiner:
– *Ah non, je pense qu'ils m'ont vendu deux gants pas pareils.*
– C'est normal, y a toujours un gauche pis un droite.

– *Regarde ça: y a un trou dans mes bas.*
– C'est nécessaire: c'est pour les enfiler.

Ou bedon quand est pressée:
– *Ah shit, j'vas être en retard, as-tu vu ma sacoche?*
– Souvent.

Ou le monde qui va te parler par signes:
l'autre jour, j'étais encore au restaurant. Le gars assis à la table en face de la mienne, un moment donné, se met à faire ça:
(INDIVIDU POINTANT SA PROPRE CHEMISE DE L'INDEX)
Là, j'me dis:
– Bon, lui, il vient d'avaler son téléphone cellulaire...
Pis là, il s'est dit: *«J'vas essayer de composer le 9-1-1.»*

Pantoute.
C'était pour me dire que *moi,* je m'étais fait une tache sur *ma* chemise.

Ou le monde qui fait ça:
(INDEX À L'HORIZONTALE, SOUS LE NEZ):
Ça, ça peut vouloir dire:
le nez me pique,
ou: le doigt me sent drôle,
mais ça peut vouloir dire aussi:
«Tourne-toi pas, mais y a un gars à gauche qui vient d'entrer avec une moumoute.»

Ça:
(POUCE EN HAUT): Ça va bien.
(POUCE EN BAS): Ça va mal.
(POUCE DE CÔTÉ): Ça pourrait aller mieux, faudrait que j'aie un char.

(INDEX ET MAJEUR, EN «V»): Victoire! *Peace and love!* Deux autres bières icitte! Coudon, j'avais pas un cigare quand j'sus rentré, moé?

Ça: (AURICULAIRE ET ANNULAIRE, EN «V» AVEC LE MAJEUR ET L'INDEX): Ça, ça peut vouloir dire:
«Je suis un fan de monsieur Spock dans Star Trek»,

mais ça peut aussi être un gars qui sait pas se servir de la *Krazy Glue*.

(POUCE ET INDEX QUI SE TOUCHENT): Bravo! Inquiète-toi pas: ça coûtera pas une cenne! ou: reste pas là, on joue aux dards.

Ça:
(TORSE BOMBÉ, BRAS LÉGÈREMENT ÉCARTÉS):
Ça, ça peut vouloir dire:
«Arrive icitte, si t'as pas peur»,
mais ça peut aussi vouloir dire:
«Faut j'change de déodorant, celui-là m'échauffe trop.»

Ça:
(MAIN AU-DESSUS DES YEUX):
Ça, ça peut être: «S'cuse-moi, c'parce que j'ai de la lumière dans les yeux», mais ça peut aussi vouloir dire:
(SALUT MILITAIRE)
«Moi, ma capacité de jugement s'arrête ici.»

Ça:
(MAIN EN L'AIR, DOIGTS ÉCARTÉS): Stop! ou «Réservation pour cinq!» ou: «Sur un p'tit banc à côté de ta table...»
(DEUXIÈME MAIN) «...tu-seule avec toé dans une cabine privée.»

Ça:
(DEUX MAINS ÉCARTÉES DEVANT LUI):
Ça, ça dépend de la hauteur.
À c't'hauteur-là (HAUT), ça veut dire:
«T'aurais dû voir celle que j'ai échappée la dernière fois que j't'allé à la pêche...»
À c't'hauteur-là (POITRINE):
«T'as de la place en masse pour *parker,* crampe!»
À c't'hauteur-là (TAILLE):

«Ouan, j'pense t'es due pour rentrer dans les *Weight-Watchers,* là...»

Ça:

(INDEX ET AURICULAIRE DRESSÉS, ANNULAIRE ET MAJEUR PLIÉS): Est-ce qu'il y a des amateurs de baseball, ici? Ça veut dire quoi, ça?
C'est ça:
«Deux retraits!»
Mais ça peut aussi être un bye-bye de menuisier.

Quand les gens me parlent,
je comprends pas toujours ce qu'ils veulent me dire, mais c'correct:
moi-même quand je parle, souvent, je comprends pas ce que je veux dire non plus.

Y a aussi des affaires d'écrites sur des emballages, des affiches, des choses à la radio, dans les journaux, que j'sus pas sûr que je comprends toujours ce qu'ils veulent dire:

Désodorisant parfum sport: C'est pour m'enlever l'odeur de sport que je m'en mets!

Crème à raser revitalisante: Déjà pogné pour me raser toué jours, la dernière chose que je veux, c'est la revitaliser!

«Sans sucre ajouté», «sans sel ajouté»: si y enlèvent tout ce qu'y ont ajouté, c'est comme si y en avaient jamais mis, pourquoi y en parlent?

«Bienvenue à la traversée du lac Memphremagog, du 18 au 23 juillet»: ...5 jours dans l'eau, tu dois être fripé quand tu sors...

Pourquoi qu'y annoncent «des vêtements de maternité qui vous donnent un air *féminin*?»

«Pour profiter de cette vente incroyable, venez me retrouver au Centre du lit d'eau!»
– On se connaît quand même pas à ce point-là...

Vente... 6 mois... sans intérêt... Ben coudon, si c'est pas intéressant...

On aurait-tu plus de médecins aujourd'hui si les profs arrêtaient de chicaner les enfants qui écrivent mal?

Les Témoins de Jéhovah qui sont contre les transfusions sanguines, sur leur char, ils font-tu des changements d'huile?

Comment je fais, mettons que j'ai une allumette, mais que je veux juste la tester?

Quand les gars de la voirie font la grève, ils se mettent-tu quatre sur la même pancarte?

Un joueur de violon (IL MIME UN VIBRATO.): C'est-tu insultant si j'y dis: «Regarde! La note que tu cherches, elle est ici!»?

Si je regarde une carte géographique, comment ça se fait que je peux pas me rendre en Floride sur le neutre?

C'est supposé qu'il y a une personne sur cinq qui est déséquilibrée. Mettons que présentement j't'en compagnie de 4 personnes qui m'ont l'air parfaitement normales...

Depuis qu'y a des danses à 10 piastres, y a-tu plus d'aveugles qui y vont?

Ceux qui disent que l'enseignement du français était meilleur autrefois, ils ont-tu déjà écouté parler Jean Chrétien?

Les personnages de dessins animés ont jamais de narines, c'est-tu pour ça qu'ils ont juste quatre doigts?

Les députés convaincus d'avoir été élus pour leur intelligence, ils savent-tu que ce qu'y ont gagné, c'est un siège?

Quand les Chinois nous regardent à la T.V., ils trouvent-tu qu'on se ressemble toute?

Quand un chien voit passer une auto montée sur une remorqueuse, il pense-tu qu'ils sont en train de faire des p'tits chars?

Mettons qu'en cadeau j'ai décidé de donner du papier d'emballage, j'tu mieux de le dire à la personne avant qu'elle commence à le déballer?

Ma femme m'en veut-tu encore parce qu'à mon mariage, au lieu de dire: «Oui, je le veux», j'ai dit: «Ouaille, j'peux ben»?

Si j'accroche un p'tit miroir dans un sapin, il sent-tu l'auto?

Quand je tue une mouche avec une tapette à mouches, pour que ça y fasse mal moins longtemps, ça vaut-tu la peine de viser entre les yeux?

Quelqu'un qui est né de parents inconnus pis qui a pas d'enfant, son arbre généalogique, c'est-tu un bâton?

Quand quelqu'un me demande mon numéro de téléphone, ça fait-tu plus propre si, avant de lui donner, je replace tous les chiffres en ordre croissant?

Quand il fait ben chaud, ceux qui ont des lunettes à double foyer, ils ont-tu l'impression d'être dans l'eau jusqu'au nez?

Les sacs de lait dans mon frigidaire, quand je referme la porte, y pensent-tu que c'est la lumière de la cuisine qui s'éteint?

Si je me tiens devant un miroir avec ma photo de passeport pis que c'est pareil, ça veut-tu dire que je suis malade?

Quand on est sûr qu'une affaire marchera pas, on fait une croix dessus, pis c'est toute. C'est-tu pour ça que nos bulletins de vote marchent de même?

Comment je fais pour mettre ma poubelle aux vidanges?

Le hoquet, ça peut-tu être une maladie mortelle si je suis un dynamiteur?

Le col bleu de la ville qui remplit la piscine municipale, quand il voit qu'à un bout c'est écrit: «1 mètre»... pis à l'autre bout:

«3 mètres», il pense-tu qu'il faut qu'il en mette plus de ce côté-là?

Une nageuse synchronisée, solo... Elle est synchronisée sur qui[1]?

Quand mon boss me dit que je manque de jugement, il sait-tu que c'est lui qui m'a engagé?

Une fille qui conduit un char sport, cuisine juste au micro-ondes, écrit tout en sténo, suit des cours de lecture rapide, elle peut-tu être heureuse, elle, avec un éjaculateur précoce?

Ma grand-mère me dit que je pense trop.

Je vas la voir, des fois, dans la résidence pour personnes âgées où elle vit à c't'heure.
Elle reste pas là parce qu'elle est «stâllée», elle a pas le choix: elle marche pus,
elle voit presque pus,
ça y prend des traitements, des remèdes, une diète spéciale...
95 ans.
– T'es-tu bien, au moins, grand-maman?
– *Bah... avec les progrès de la médecine aujourd'hui, c'est beaucoup plus long qu'autrefois avant de mourir.*

C'est elle qui m'a dit que je pense trop.
– O.K., admettons, c'est facile à dire pour toi, ça, mais moé, j'sus juste en visite, moi icitte.
Moé, si y voient que je pense trop, y m'en donneront pas de pilules. Qu'ossé que je fais?
– *Pourquoi tu ferais pas de la méditation transcendantale inspirée du Pranayama Yoga issu des Upanishads?*
Me semble que ça t'aiderait...
On a justement un cours c't'après-midi, viens donc.

---

1. Ne devrait-on pas utiliser l'expression «nage chorégraphiée»?

C'est vrai qu'y ont plein d'activités, là-bas:
la messe, le bingo du matin;
la confession, le bingo de l'après-midi;
la communion dans chambre, le bingo du soir...

C'pas ça qui leur donne le goût de se relever le lendemain matin,
mais de toute façon, quand ils se regardent dans le miroir le matin eux autres,
ils sont toujours dans l'eau jusqu'au nez.

J't'allé avec elle à son cours de méditation.

Ça se donnait dans la «salle communautaire» de la résidence...
– Tiens, ici, tu vas être bien.

Quand on est arrivé là, y avait quoi:
une demi-douzaine de «bénéficiaires»,
la garde-malade...
Ah, pis, le bénévole qui donnait le cours.

Le bénévole m'a surpris:
je m'attendais de voir une espèce de Pranayama Yoga qui mange juste des oranges pis des noix, là...
Tsé, le genre «75 lbs, enveloppé dans 35 pieds de rideau de douche couleur saumon».
Mais non!
Paraissait bien.

Organisé à part de ça, il a commencé de la bonne manière, là: en prenant les présences.

Bonjour!
Alors, on va commencer par vérifier si on est toute là.
(CHERCHE DANS SES FEUILLES.)
Voyons...
Euh, garde?
Je l'ai encore vu écrit sur le devant de la bâtisse en arrivant mais c'parce que j'en fais tellement,

c'est quoi déjà, le nom ici de...
«Le temps qu'il nous reste», c'est ça.
(TROUVE LA BONNE FEUILLE.)
O.K., je nous ai.

O.K., Madame Goyette? Madame Goyette?
Garde, qu'ossé qui arrive avec madame Goyette?
«Elle s'appelle Choinière, aujourd'hui...»
Qu'ossé, elle s'est-tu mariée c'te semaine?
«...se rappelle pus de son nom.»
Ah bon! Attendez donc un peu:
ça, c'est pas celle qui s'appelait... madame Durocher,
la semaine passée? O.K., je la replace.
Me semble qu'elle a l'air nerveuse aujourd'hui?
«Enceinte»?
Eh! que c'est de valeur...

Monsieur Chagnon...
(IL EST SOURD ET A LES MAINS QUI TREMBLENT.)
Notre seul homme!
Oui, vous devez pas vous ennuyer ici, vous!
Non, pas tu-suite, là on fait juste prendre les présences!
C'est juste les présences!

Euh garde, qu'ossé qui est arrivé à monsieur Chagnon, donc:
il est-tu passé à travers une baie vitrée?
Ben oui, mais donnez-y un rasoir électrique, voyons!

Madame Landry?

Ah tiens, madame Landry, y vous ont changé votre œil: celui-là
est ben plus beau!
Non, pas votre dentier: votre œil!
Regardez ma main ici...
Regardez ma main... regardez...
Garde? Êtes-vous sûr qu'ils lui ont changé le bon?

Madame Morin?
Ça, ça va...
Peut-être juste avancer votre chaise roulante un petit peu, vous allez être mieux.

Madame Pinsonneault?
Madame Pinsonneault?
Garde?
Madame Pinsonnault est pas là?

Ah non, quand est-ce que c'est arrivé?
«Mardi passé.» Bon...

Ah, pis tiens, on a aussi madame qui est accompagnée de monsieur... Légaré, je suppose?
Vous, vous devez être le frère de...
le fils!,
le petit-fils!
Ah bon, excusez, c'est euh, votre... (CALVITIE)

Alors!
On va commencer par ce qu'on a appris la semaine passée. Qui se souvient de ce qu'on a fait la semaine passée?
Qui s'en souvient?

Non, baissez la main madame Goyette, madame Choinière, madame Durocher...

Qu'osse qu'y a, Monsieur Chagnon?
Non, les jambes en lotus assis dans le gazon, ça va aller au printemps, là!
Garde!
Le printemps prochain, c'est dans 9 mois: promettez-leur pas trop...

La semaine passée, on a appris quelque chose de très important, qu'on ne savait pas,
on a appris à...

respirer!
C'est important, respirer.
Ça fait qu'on va faire comme on a appris la semaine passée,
c'est-à-dire qu'on inspire en levant les bras...
et on expire en... baissant les bras.

Allez, on lève!
On lève!
La garde va le faire avec nous autres pour montrer comment,
hein?
On lève, on lève...
Levez Monsieur Chagon, c'est le temps, là!
C'est ça, les deux mains, oui!

Enwoye! On lève plus vite que ça!
On est là à penser qu'on a ben du temps devant nous autres, on
se réveille un de ces matins, pis on s'aperçoit qu'y nous en reste
pas mal moins qu'on pensait,
ça fait qu'on lève...

C'est ça!
À c't'heure, on baisse...

Les deux, Monsieur Chagnon!

Non, Madame Goyette,
on respire pas en faisant (RESPIRATION ACCOUCHEMENT).

Qu'est-ce qu'y a, Monsieur Chagnon?
Non, c'pas vous le père, c'correct!

Détendez-vous! Faites le vide!

Garde!
Peut-être aider madame Morin à faire le vide,
j'ai beau parler fort, j'sus pas sûr du tout qu'a comprend ce
qu'on essaye de faire, présentement.

(IL CRIE.)
On sent le calme qui entre en nous!
On sent ça, là.

Garde!
Allez donc voir si madame Morin sent le calme qui entre en elle...

Non, c'correct, garde: monsieur Chagnon sent très bien le calme
qui entre en lui, c'est juste son Shake and Bake. Comment vous
dites ça? Parkinson, c'est ça!
Allez voir madame Morin, là.

Qu'ossé, a dort?
Bon ben, mettez-y les mains sur les cuisses, là elle a les mains sur
les roues, pis elle fait reculer sa chaise sans s'en apercevoir, là.

(IL CRIE)
Nous autres, on pense à des choses calmes!

Des feuilles mortes...
un beau p'tit lac...
le soleil qui se couche...
et le jour qui...
meurt!

Et on ne pense plus à rien!
Pensez à rien... pensez à rien...

Regardez madame Goyette: madame Goyette pense à rien.

Comme un p'tit chat, hein?
Garde! Allez mettre les mains de madame Morin sur ses cuisses.
Qu'osse qu'y a Monsieur Chagnon? Non, ici, on n'a pas le
droit! C'est à cause des motons kaki!
Garde! Madame Morin! Elle va prendre l'escalier!

O.K., j'y ai mis ses brakes, *O.K.*

Là, on va écouter notre âme, hein?

On écoute, on écoute...
Écoutez... votre âme.

On écoute notre âme. Madame Landry: on écoute...
(IL ESSAYE DE LUI FAIRE COMPRENDRE PAR GESTE,
PUIS ABANDONNE, SE SOUVENANT QU'ELLE NE VOIT
PAS CLAIR.)

Monsieur Chagnon!
Là, on écoute...
(RÉALISANT QUE LE MONSIEUR EST COMPLÈTEMENT
SOURD)
Écoutez ce que vous pouvez, ça va être correct!

On écoute notre âme...
et on sent notre âme qui se...
détache de nous, hein?
Notre âme nous quitte, là.
Notre âme nous a quitté...
et elle monte,
elle monte,
elle monte...

Notre âme s'est détachée de nous,
et elle est montée, montée, montée...
au ciel!

Notre âme est au ciel et là,
on est bien!

Celle qui l'avait le mieux, c'était ma grand-mère.
– Tu l'as eu tu-suite, grand-maman.
– *Bah, à l'âge que j'ai, tu sais ce que tu veux.*
– *Come on*, grand-maman. Niaise pas, là.
Agrémente, «stâlle», je le sais-tu!
On se parle de la vie, là.
– *La vie? c'pas ça.*

181

Ça, c'est la survie.
Tu penses trop, toé.

Moi, je suis comme elle: cool, positif.
C'est dans les gènes, ça.
Pas de farce, moi je suis toujours relax.

J'sus fin: des fois, y a des filles qui viennent me le dire, à la fin d'un spectacle.

Tsé, des fois, t'entends le monde parler d'un «bon gars»: c'est moé ça.

Moé, j'sus le genre de chum que t'aimes avoir quand t'as un problème. Je m'énarve pas, moi. Exemple, tu m'appelles parce que t'as un problème de plomberie? M'a te donner des conseils.

Je connais rien dans la plomberie, mais je connais beaucoup de conseils.

Cool. Jamais je me choque, jamais je gueule...
Vous me croyez pas? Ben tins, demandez à quelqu'un qui me connaît, demandez à Bruno: il va vous le dire. Jamais je gueule.

C'pas vrai.

Quand je pense qu'y a personne qui me voit,
des fois je gueule.
Non, mais des fois, il te reste rien que ça, gueuler.

De ce temps-là, je gueule contre les émissions de T.V. qui nous font passer pour des épais.
Nous avez-vous vus, à la T.V.?
C'est rendu qu'on s'applaudit quand ils disent qu'on est arrivé d'in autobus!

Pas juste quand je regarde la T.V.:
les arrêts d'autobus, en ville,
qui sont toujours placés su'l coin de la rue, de ce côté-ci, à droite,
m'empêchent de voir le nom de la rue, la couleur du feu de circu-

lation, du monde des fois qui veut traverser, m'empêchent de tourner à droite: je vas couper l'autobus,
me font «stâller» s'a verte parce que l'autobus embarque du monde: eille!

Mettez l'arrêt d'autobus l'autre bord de la rue! Plus loin là! C'est ça! Y dérangeront pus personne, là!
De toute façon, le monde qu'y embarquent là-dedans, y existent juste le temps qu'on les voit!

Pas juste quand je regarde la T.V. ou que je conduis mon auto.
Avez-vous entendu parler de ça: le poivre de Cayenne contre les assaillants?
Vous connaissez ça!
C'est la plus belle invention qu'y a jamais eu: ça les tue pas, ça les fait pas saigner, ça leu casse pas les bras: non, ça les fait brailler, ils tombent à genoux, ils te laissent tranquilles.
C'est génial!
Vous pensez pas que c'est génial?
(LE PUBLIC APPROUVE.)
Pas le droit de s'en servir, c'est une arme!

Ma mère a 72:
elle fait de l'arthrite dans les pouces,
elle peut pas suivre un cours de karaté, s'acheter un «12 pompeux», pis scier le canon!
Ma mère connaît ça, le poivre de Cayenne!
Le poivre de Cayenne?
Ça fait 50 ans que ma mère arrache les amygdales de tout le monde dans la parenté avec le poivre de Cayenne qu'elle met dans sa sauce à spaghetti!
C'est pour elle, le poivre de Cayenne, donnez-y!

Bruno? Baisserais-tu un peu l'éclairage, s'il te plaît?

(ÉCLAIRAGE TAMISÉ)
Les annonces de char à seulement 14 495 $!

Taxe en sus! Transport en sus! Préparation en sus! Dépôt en sus!
Eille!
Dites-moé-lé tu-suite:
pour mettre la clé dans le contact, c'est 20 000 $!
Quand t'achètes un *popsicle,* toé,
ils te chargent-tu le p'tit sac, pis les deux bâtons, à part?

Les annonces de meubles!

Aucun versement! Aucuns frais d'administration! Aucuns frais de crédit! Rien à payer!
S'il vous plaît!
Tu me laisses partir avec un *set* de salon, un *set* de cuisine, un *set* de chambre, une laveuse, pis une sécheuse pour 6 mois: ça coûte quelque chose à quelqu'un, ça?
Avec quoi tu manges?
On se sauve tous les deux 35% si je paye tu-suite!
Dites-lé, ça aussi, dans vos annonces!
Y en a dans nous autres qui ont compris que la manière de sauver de l'argent, c'est de payer quand t'as les moyens de payer.
Y en a dans nous autres qui savent compter!
On n'est pas toute des ministres des finances!

Les prix! *7,99 $ le kilo...*
Lâchez-moé le «7,99» c'est 8,00 $!
J't'à veille de m'acheter un *trailer* pour charrier des cennes noires!

Ah!pis, Bruno? J'veux pas qu'y voient ça.

(DANS LE NOIR)

Les travaux de la voirie!
À tous les maudits étés, c'est pareil:
12 contracteurs sur 12 chantiers,
qui bloquent 12 routes pendant 12 semaines!
C'est ça que l'été dure icitte, 12 semaines!

Mettez les 12 contracteurs su'l même chantier!
Ça va être fini après une semaine!
T'es changes de chantier à toutes les semaines. À la fin de l'été,
ils vont avoir bloqué 12 routes, mais pendant une semaine cha-
que, pas 12!
C't'une règle de 3!
Jamais je croirai qu'y connaissent pas la règle de 3:
y en ont toujours 3 d'accotés pour un qui travaille!

Les tables de restaurant avec un poteau vertical qui se termine
par 4 pattes *à plate,* qui sont jamais d'aplomb!
3 pattes, 3! T'es sûr que ça bougera pas.
De toute façon, 4 pattes *à plate,* ça peut pas marcher:
la Terre est ronde!

Les crevaisons!
À la veille d'arriver à l'an 2000: les crevaisons!
Qu'est-ce qu'un pneu? Qu'est-ce qu'un pneu?
Un pneu, c't'une balloune!
Un trou là-dedans, c't'évident que c't'à terre!
Croisez les pneus avec les barres de chocolat *Aero*!
Y va y en avoir 10 000 ballounes dans le pneu!
Pognes un clou, pognes-en 10: ça fait pus rien!

Présentement sur la Terre, au moment où on se parle y a un pneu
sur 5, à la grandeur de la planète, qui passe ses journées longues
dans une valise de char, 24 heures sur 24! Un sur 5!
Enlevez ça, la roue de secours!
C'est fini, on n'a pus besoin!
Ça va nous faire de la place pour mettre nos cennes noires, quins!

Les emballages en plastique transparent!
Raides, moulés autour d'une paire de batteries, un stylo, une
paire de pinces, un cadenas, une poignée de porte,
collés sur un carton glacé,
pas défaisables!
Vendez-les lousses! On va 'n acheter pareil!

On tient pas tant que ça à ce que nos poignées de porte soient scellées sous vide pour être plus fraîches !

Les p'tites maudites étiquettes de prix pas décollables !
Faites-en qui décollent avec du savon à vaisselle !
Vous êtes pas capables ?
Au moins, collez-les pas su'l dessus, su'l devant de l'affaire que j'achète !
Mettez-la en arrière, en dessous, en dedans, mettez le prix s'a tablette, écrivez-le au crayon, je le sais-tu !
Amenez-moé le gars qu'y a inventé ça, amenez-moé-lé ! J'vas y en mettre une dans chaque narine !
J'vas y mettre la main s'a bouche, j'vas y dire :
– Tu veux respirer ? Tu veux respirer ? Décolle celles que t'as dans le nez, qu'on woye comment tu fais !

Les chicanes perpétuelles autour du mot «stop» ou «arrêt»...

Je pensais que c'était fini moé, ça, le débat linguistique, mais non, ça repart...
Les chicanes perpétuelles autour du mot «stop» ou «arrêt», avec le barbouillage du «stop» par les francophones,
du «arrêt» par les anglophones,
pis c'est encore moé qui paye pour faire repeinturer ces pancartes-là !
C'est assez, *it's enough !*
Écrivez...
rien :
un octogone rouge au bout d'un fer angle galvanisé su'l coin de la rue, on va comprendre !
Une lumière rouge, on comprend déjà !

C'est vrai que ça gueule mieux quand personne te voit...

J'ai fini.
Tu peux rallumer, Bruno, c'est fini.

(RETOUR D'ÉCLAIRAGE)

Bonsoir!
Bonsoir!
Non, c'pas un bonsoir de quand tu pars,
c'est un bonsoir de quand t'arrives.

C'est parce que je vous ai pas dit «bonsoir» en arrivant,
j'ai de la misère avec ça.
J'ai de la misère à parler à du monde que je connais pas.

Il me semble que, quand j'entame une conversation avec quelqu'un pour la première fois, la conversation s'en va toujours dans la même direction:
on est là, tous les deux, à essayer désespérément de se trouver un point commun pour venir à bout d'en jaser:
– *Connais-tu un tel?*
– Jamais vu de ma vie.
– *Viens-tu souvent ici?*
– Savais même pas que ça existait.
Finalement, le seul point commun que tu finis par te trouver:
– *Ah toé-si, t'as du poil qui te pousse dans les oreilles!*

Mais là, j'me disais:
ç'a pas de bon sens qu'on s'en aille sans avoir jasé un petit peu,
sans ça, on va avoir existé juste le temps qu'on s'est vus.

Pis, j'ai trouvé la manière qu'on va faire ça.
Bon, vous êtes une gang, je suis tout seul.
Je vas vous dire une affaire que je fais, pis,
si vous autres aussi c'est comme ça,
vous levez la main, pis on va savoir qu'on a ça en commun, pis tout le monde qui va lever la main en même temps que vous va savoir qu'il a ça en commun avec vous, aussi.

De toute façon, quand on jase, c'est juste ça qu'on fait.
Hein?
On va mettre de l'éclairage dans la salle pour que je vous voie bien,

pis il va me rester juste à trouver une affaire que je fais, pis que vous faites aussi, pis c'est de même qu'on va jaser.

C'est tout ce qui nous manque, un exemple.

Un exemple, c'est tout ce qui nous manque...

O.K. je l'ai!
T'as un trou dans ton bas vis-à-vis le gros orteil. Changer tes bas un pour l'autre pour que le trou soit vis-à-vis les p'tits orteils de l'autre pied?

(IL LÈVE LUI-MÊME LA MAIN APRÈS CHAQUE PHRASE ET ACCUSE RÉCEPTION DES GENS QUI ONT LEVÉ LA MAIN.)
C'est pas obligé d'être ici, maintenant...

Ça va bien, ça va bien.

O.K.
T'es dans un party, le monde te trouve drôle comme ça se peut pas, tu vas aux toilettes pis tu découvres que t'as un spot de mayonnaise ici, su'l bord d'une narine!

Tu te fais lécher la face par un p'tit chien, tu trouves ça *cute,* pis là tu te rappelles où c'est qu'y se léchait 10 secondes avant!
Pis ça avait l'air meilleur?

Je l'sais:
T'as 12 ans, t'es à l'école, t'as un prof, pendant qu'y te parle, y a une p'tite goutte de salive blanche épaisse collée icitte au milieu de la lèvre d'en haut,
avec un «élastique» qui se rend jusqu'à la lèvre d'en bas, pis au lieu d'écouter ce qu'il essaye de t'enseigner,
tu passes ton temps à guetter pour voir si la p'tite boule va finir par descendre l'élastique!

T'es en vacances, mettons au Brésil, t'as besoin d'un renseigne-ment, tu t'adresses à quelqu'un et là tu réalises: il comprend juste le Portuguais. Ça fait que tu y parles en anglais!

T'essayes d'imaginer le monde qui vivait en 1920, y sont toute en noir et blanc pis y marchent vite!

T'essayes d'imaginer le monde qui vivait à la cour de Louis XIV:
ils ont toute des poux en dessous de leur perruque, les dents cariées, pis ce monde-là pue!

T'essayes d'imaginer des Romains de l'Empire romain en train de souper: ils sont toute étendus avec leurs draps, pis ce monde-là, ce qu'ils mangent, c'est des raisins, juste des raisins!

T'es assis au même endroit depuis un bon bout de temps – ça peut être la toilette, une salle d'attente, c'pas grave –, tu fixes le plancher, pis un moment donné, j'sais pas si les yeux te crochissent parce que t'es dans la lune, mais le plancher fait (GESTE DE ZOOM VERS SON VISAGE)!

Tu regardes la maison de ton voisin à travers ta fenêtre où il y a une crotte de moineau qui est collée. Quand tu regardes la crotte, y a deux maisons, quand tu regardes la maison, y a deux crottes!

Tu connais le début d'à peu près 75 *tounes* en anglais. Tu chantes le bout que tu sais, pis quand t'arrives au bout que tu sais pas, tu continues avec une phrase de ton invention, qui est pleine de fautes, mais tu t'en fiches, et c'est toujours la même phrase, quelle que soit la *toune*!

T'es couché le soir avec ta blonde – ou ton chum, selon –, collé-collé-collé-collé, t'entends un bruit d'estomac style *spring*, mais t'es tellement collé, tu sais pas si ça vient de toi ou ta blonde!

Tu te mouches trop fort, les oreilles te bloquent, tu pars avec ton char, tu dis: «Taboère qu'y va ben!»

Tu vois un ministre faire un discours à la T.V., et pendant que tu le regardes, tu l'imagines en train de baiser... pis là, tu te dis: «Y doit-tu être pourri...»

Tu vas te coucher, t'éteins la lumière de dehors, veilleuse au-dessus du poêle, lumière du passage, lumière de ta chambre, lampe de chevet, tu te couches, tu te relèves, pis t'es rallumes toutes pour voir si tu les avais éteintes!

Tu débarres la porte d'entrée pour voir si tu l'avais barrée!

Tu places ton cadran pour qu'y sonne demain matin, pis tu le fais sonner à soère pour voir si «y aurait sonné»!

Tu finis par te coucher, tu fermes les yeux pour dormir, pis tu vois des p'tits spots brillants, toute sorte de couleurs, tu te mets à les regarder, ça finit pas, pour venir à bout de t'endormir, t'es obligé de rester les yeux ouverts!

T'es à la Caisse Pop, la caissière dit: «Veuillez signer votre nom», tu signes «Votre nom»!

Tu parles à quelqu'un qui est devant toé, tu parles normal.
Y est à 10 pieds, tu parles plus fort.
Y est à un coin de rue, tu chuchotes: «On se retrouve à l'auto! L'auto, oui c'est ça!»

Tu parles avec quelqu'un qui bégaye, t'as le goût de bégayer toi aussi!

Tu parles avec quelqu'un qui a une graine de toast de pognée dans le coin de la bouche, pendant que tu lui parles, tu t'essuyes le coin de la bouche!

Tu suis une auto qui vient de pogner une bosse, et la tête de tout le monde dans l'auto fait ça (MIME LES TÊTES QUI S'AGITENT DE CÔTÉ), t'arrives s'a bosse, tu te tiens le cou raide pour pas que ça le fasse!

Tu viens de te servir du séchoir à main automatique dans une toilette publique, pis là, tu marches pareil comme un chirurgien. (MAINS LÉGÈREMENT TENDUES DEVANT LUI)
Pis là, tu prends la poignée que tout le monde qui se lave pas les mains a pris avant toé!

(PEU DE GENS DU PUBLIC AYANT LEVÉ LA MAIN)
Ah, c'tu drôle, j'pensais qu'il y avait plus de monde que ça qui se lavait les mains après être allé aux toilettes...

Y a déjà quelqu'un qui a appuyé su'l bouton pour faire venir l'ascenseur, mais t'arrives, tu repèses toi aussi pour que l'ascenseur pense: «Oh, sont pressés, m'a aller plus vite!»

Quelqu'un, que tu ne connais pas, t'envoie la main. Tu y réponds (MIME LE GESTE) et là, tu réalises qu'il envoyait la main à quelqu'un qui est en arrière de toi. Ça fait que là, pour pas avoir l'air d'un cave, tu fais semblant que tu répondais à quelqu'un qui est en arrière de lui!

Tu racontes au monde toutes sortes d'affaires que tu penses dans le but de les faire rire, mais dans le fond, tu veux juste savoir si t'es normal!

BLACK OUT

(REVENANT SALUER)
Savez-vous quoi?
Les applaudissements, c'est comme les bêtises:
ça te touche pas,
ça te berce pas,
ça te caresse pas, mais quand t'en reçois,
ce que ça fait...

Pis, ce qu'y a de fascinant,
c'est que les applaudissements que tu reçois, dans le fond, c'est pourquoi?

C'est parce que depuis 2 heures,
t'as envoyé...
(REPRENANT SES «ONDULATIONS» DES BRAS)
... quelques vibrations.
(LES APPLAUDISSEMENTS LE FONT SE RETRANS-FORMER EN SURHOMME.)

Achevé d'imprimer en mars 1999
sur les presses de l'Imprimerie Quebecor,
L'Éclaireur, Beauceville